생활 밀착형 패턴 233개로 일상에서 시험 준비까지 OK!

독일어 회화

핵심패턴

233

최재화 7

길벗
이지:톡

독일어와 우리말을 나누어 구성했습니다. 한글 해석만 보면서 독일어로 말하는 훈련을 해보세요.

EINHEIT 01 sein ~이다

MUSTER 001

난 ~야.　　　　**Ich bin (der/ein) ~.**

1. 난 민수야. (난 민수라고 불려.)　Ich bin Min-Su. (Ich heiße Min-Su.)
2. 나는 학생입니다.　Ich bin (ein) Student / (eine) Studentin.
3. 저는 한국인입니다.　Ich bin Koreaner / Koreanerin.
4. 저는 스물세 살입니다.　Ich bin 23 Jahre alt.
5. 난 베를린 사람입니다.　Ich bin (ein) Berliner.

MUSTER 002

반복 훈련용 002.mp3

난 ~해.　　　　**Ich bin ~.**

1. 기뻐 / 행복해.　Ich bin froh / glücklich.
2. 나 슬퍼.　Ich bin traurig.
3. 나 완전 혼란스러워 / 낙담하고 있어.　Ich bin total durcheinander / niedergeschlagen.
4. 배불러.　Ich bin satt / voll.
5. 난 취했어. (만취 상태)　Ich bin blau / voll / betrunken.

MUSTER 003

반복 훈련용 003.mp3

난 ~야　　　　**Ich bin ~.**

1. 곧 다시 올게.　Ich bin gleich wieder da.
　= Ich bin gleich wieder zurück.
2. 늦었어.　Ich bin spät dran.
3. (너에게) 가는 중이야.　Ich bin unterwegs.
　= Ich komme (zu dir).
4. 지금 하고 있어!　Ich bin gerade dabei!
5. (일) 다 끝냈어!　Ich bin fertig!

2

MUSTER 004

난 D하는 중이야.　　Ich bin in + D.

1. 접속했어 / (공간) 안에 있어.　Ich bin drin.
2. 휴가 중이야.　Ich bin im Urlaub.
3. 근무 중이야.　Ich bin im Dienst.
4. 스트레스를 많이 받았어.　Ich bin voll im Stress.
5. 어려움에 처해 있어.　Ich bin in Not.

MUSTER 005

난 A에 찬성해.　　Ich bin für + A.

1. 난 찬성!　Ich bin dafür!
2. 난 항상 널 위해 있어.
(항상 널 도울 준비가 되어 있어.)　Ich bin immer für dich da.
3. 난 독일을 응원해!　Ich bin für Deutschland!
4. 난 사형제도를 찬성해!　Ich bin für die Todesstrafe!
5. 난 우리가 반대할 것에 찬성해!　Ich bin dafür, dass wir dagegen sind!

MUSTER 006

난 A를 반대해.　　Ich bin gegen + A.

1. 난 반대!　Ich bin dagegen!
2. 난 원자력을 반대해!　Ich bin gegen Atomkraft!
3. 난 전쟁을 반대해!　Ich bin gegen einen Krieg!
4. 난 고래사냥을 반대해!　Ich bin gegen Walfang!
5. 난 (서머타임) 시간변경을 반대해!　Ich bin gegen die Zeitumstellung.

MUSTER 007

난 A가 자랑스러워.　　Ich bin stolz auf + A.

1. 난 내가 정말 자랑스러워!　Ich bin so stolz auf mich!
2. 난 네가 자랑스러워!　Ich bin stolz auf dich!

3. 난 이 팀이 자랑스러워! Ich bin stolz auf **die Mannschaft!**

4. 난 독일이 자랑스럽지 않아. Ich bin **nicht** stolz auf **Deutschland.**

5. 난 네가 나의 베프인 것이 자랑스러워! Ich bin stolz (darauf), dass du meine beste Freundin bist!

MUSTER 008

난 A가 흥미진진해. Ich bin gespannt auf + A.

1. 그것이 흥미진진해. Ich bin gespannt **dar**auf.

2. 그 결과들이 흥미진진해. Ich bin gespannt auf **die Ergebnisse.**

3. 그를 알아가는 일은 흥미진진해. Ich bin gespannt, **ihn kennenzulernen.**

4. 그녀가 뭐라고 말할지 흥미진진해. Ich bin gespannt, **was sie sagt.**

5. 그 일이 어떻게 진행될지 흥미진진해. Ich bin gespannt, **wie es weitergeht.**

MUSTER 009
반복 훈련용 009.mp3

난 A가 정말 필요해. Ich bin auf + A angewiesen.

1. 난 그(그의 도움)가 꼭 필요해. Ich bin auf **ihn** angewiesen.

2. 난 그 증명서가 꼭 필요해. Ich bin auf **die Bescheinigung** angewiesen.

3. 난 약이 꼭 필요해. Ich bin auf **Medikamente** angewiesen.

4. 난 아무도 필요하지 않아. Ich bin auf **niemanden** angewiesen.

5. 난 어떤 도움도 필요하지 않아. Ich bin auf **keine Hilfe** angewiesen.

MUSTER 010
반복 훈련용 010.mp3

난 D한 기분이야. Ich bin zu + D aufgelegt.

1. 기분이 좋아. Ich bin **gut** aufgelegt.

2. 놀고 싶어. Ich bin **zum Spielen** aufgelegt.

3. 농담할 기분이 아냐. Ich bin **nicht** zu **Scherzen** aufgelegt.

4. 오늘은 그럴 기분이 아니야. Ich bin **heute nicht** dazu aufgelegt.

5. 계속 공부할 기분이 아냐. Ich bin **nicht** dazu aufgelegt, **weiter zu studieren.**

MUSTER 011

**난 D에 잘못이 없어 /
내 잘못이 아니야.**

Ich bin nicht schuld an + D.

1. 난 그것에 대해 아무런 잘못이 없어.　Ich bin nicht schuld daran.

2. 너무 늦게 온 것은 내 잘못이 아냐.　Ich bin nicht schuld, dass ich zu spät komme.

3. 그게 고장 난 건 내 잘못이 아니야.　Ich bin nicht schuld, dass es kaputt ist.

4. 그걸 잃어버린 건 내 잘못이 아냐.　Ich bin nicht schuld, dass es verloren gegangen ist.

5. 여기가 정리가 안 된 건 내 잘못이 아냐.　Ich bin nicht schuld, dass es hier unordentlich ist.

MUSTER 012

난 Jn과 사랑에 빠졌어.

Ich bin verliebt in + Jn.

1. 난 그녀와 사랑에 빠졌어.　Ich bin verliebt in sie.

2. 난 율리아와 사랑에 빠졌어.　Ich bin verliebt in Julia.

3. 난 다른 남자와 사랑에 빠졌어.　Ich bin verliebt in einen anderen Mann.

4. 난 널 사랑해.　Ich liebe dich.

5. 난 독일을 사랑해.　Ich liebe Deutschland.

MUSTER 013

난 D가 미치도록 좋아.

Ich bin verrückt nach + D.

1. 난 네가 미치게 좋아!　Ich bin verrückt nach dir.

2. 난 단 것이 미치게 좋아!　Ich bin verrückt nach Süßigkeiten.

3. 난 노는 것이 미치게 좋아!　Ich bin verrückt nach Spielen.

4. 난 축구가 미치게 좋아!　Ich bin verrückt nach Fußball.

5. 난 음악이 미치게 좋아!　Ich bin verrückt nach Musik.

MUSTER 014

난 D에 감동받았어.

Ich bin begeistert von + D.

1. 난 네게 감동받았어.　Ich bin begeistert von dir.

2. 난 이 책에 감동받았어.   Ich bin begeistert von diesem Buch.

3. 난 이 도시에 감동받았어.   Ich bin begeistert von der Stadt.

4. 난 교수님에게 감동받았어.   Ich bin begeistert von dem Professor.

5. 난 울름 대성당에 감동받았어.   Ich bin begeistert vom Ulmer Münster.

반복 훈련용 015.mp3

MUSTER 015
난 D에 실망했어.   Ich bin von + D enttäuscht.

1. 난 단지 실망했을 뿐이야.   Ich bin nur (davon) enttäuscht.

2. 난 그에게 실망했어.   Ich bin von ihm enttäuscht.

3. 난 나 자신에게 실망했어.   Ich bin von mir selbst enttäuscht.

4. 난 내 선수들에게 실망했어.   Ich bin von meiner Mannschaft enttäuscht.

5. 난 불공정한 판정에 실망했어.   Ich bin von dem ungerechten Urteil enttäuscht.

반복 훈련용 016.mp3

MUSTER 016
난 D를 확신해.   Ich bin von + D überzeugt.

1. 난 그것을 확신해.   Ich bin davon überzeugt.

2. 난 나 자신을 확신해. (자신 있어.)   Ich bin von mir selbst überzeugt.

3. 난 그것이 틀렸다고 확신해.   Ich bin überzeugt, dass es falsch ist.

4. 전 이 직장이 제 능력에 걸맞다고 확신합니다.   Ich bin überzeugt, dass dieses Arbeitsfeld meinen Fähigkeiten entspricht.

5. 납득이 가. (설득됐어 / 네 말이 맞아.)   Ich bin überzeugt.

반복 훈련용 017.mp3

MUSTER 017
난 ~인 것을 확신해.   Ich bin (mir) sicher, ~.

1. 난 (전적으로) 확신해   Ich bin (mir absolut) sicher.

2. 난 내일 날씨가 좋을 거라고 확신해.   Ich bin sicher, dass morgen die Sonne scheint.

3. 나는 그가 너를 사랑한다고 전적으로 확신해.   Ich bin absolut sicher, dass er dich liebt.

4. 나는 그가 무슨 말을 했는지 확신할 수 없어.   Ich bin nicht sicher, was er sagt.

5. 난 내가 사랑에 빠졌는지 확신할 수 없어. Ich bin nicht sicher, ob ich verliebt bin.

반복 훈련용 018.mp3

MUSTER 018

난 ~하는 데 익숙해 / 보통 ~해. **Ich bin (es) gewohnt, ~.**

1. 일찍 일어나는 데 익숙해   Ich bin gewohnt, früh aufzustehen.
2. 아침 먹는 것에 익숙하지 않아.   Ich bin nicht gewohnt, zu frühstücken.
3. 스스로 공부하는 것에 익숙해.   Ich bin gewohnt, selbstständig zu arbeiten.
4. 집에 늦게 오는 것에 익숙해.   Ich bin gewohnt, spät nach Hause zu kommen.
5. 난 보통 자전거를 타고 이동해.   Ich bin gewohnt, mit dem Fahrrad zu fahren.

반복 훈련용 019.mp3

MUSTER 019

난 D를 할 준비가 되어 있어.   **Ich bin zu + D bereit.**

1. 난 준비됐어!   Ich bin (dazu) bereit!
2. 난 떠날 준비가 되어 있어.   Ich bin zur Abfahrt bereit.
3. 난 새로운 것을 배울 준비가 되어 있어.   Ich bin bereit, Neues zu lernen.
4. 난 작은 위험은 감수할 준비가 되어 있어.   Ich bin bereit, ein kleines Risiko einzugehen.
5. 난 새로운 도전을 받아들일 준비가 되어 있어.   Ich bin bereit, neue Herausforderungen anzunehmen.

반복 훈련용 020.mp3

MUSTER 020

난 ~하기로 결심했어.   **Ich bin entschlossen, ~ .**

1. 독일어를 배우기로 결심했어.   Ich bin entschlossen, Deutsch zu lernen.
2. 끝까지 하기로 결심했어.   Ich bin entschlossen, das durchzuziehen.
3. 시도해보기로 결심했어.   Ich bin entschlossen, es zu versuchen.
4. 지원해보기로 결심했어.   Ich bin entschlossen, mich zu bewerben.
5. 시간을 낭비하지 않기로 결심했어.   Ich bin entschlossen, keine Zeit zu verlieren.

MUSTER 021

반복 훈련용 021.mp3

넌 ~해.   Du bist ~.

1. 너 정말 친절하구나!   Du bist sehr freundlich!

2. 넌 정말 재밌어 / 재치 있어!   Du bist so lustig / witzig!

3. 넌 너무 예민해 / 신경질적이야 / 감정   Du bist so empfindlich / nervös / einfühlsam!
   이입을 잘해!

4. 넌 스트레스를 줘.   Du bist stressig.

5. 넌 정신적으로 문제가 있는 게 아냐,   Du bist nicht gestört, sondern besonders
   다만 특별히 감수성이 풍부한 거야.   sensibel.

MUSTER 022

반복 훈련용 022.mp3

넌 ~이니?   Bist du ~?

1. 당신이 여기 주인입니까?   Bist du hier der Chef?

2. 행복해?   Bist du glücklich?

3. 너 나한테 화났어?   Bist du böse auf mich?

4. 이미 집이니?   Bist du schon zuhause?

5. 잘 도착했어?   Bist du gut angekommen?

MUSTER 023

반복 훈련용 023.mp3

~하는 것은 ~해.   Es ist adj, ~.

1. 네가 무엇을 하고 싶은지를 안다면,   Es ist gut, wenn du weißt, was du willst.
   좋은 거야.

2. 저녁 늦게 먹는 것은 좋지 않아.   Es ist schlecht, spät abends zu essen.

3. 정직한 것은 중요해.   Es ist wichtig, ehrlich zu sein.

4. 규칙적으로 운동하는 것은 꼭 필요해.   Es ist nötig, regelmäßig Sport zu machen.

5. 철로를 건너는 것은 금지돼 있어.   Es ist verboten, über die Bahngleise zu gehen.

MUSTER 024

반복 훈련용 024.mp3

~하는 일은 쉬워.   Es ist leicht, ~.

1. 독일어를 배우는 것은 쉬워.   Es ist leicht, Deutsch zu lernen.

2. 다른 사람을 판단하는 일은 쉬워.　　Es ist leicht, über andere zu urteilen.

3. 말하긴 쉬워.　　Es ist leicht, zu reden.

4. 그냥 넘어가기는 쉬워.　　Es ist leicht, wegzuschauen.

5. 포기하는 건 쉬워.　　Es ist leicht, aufzugeben.

MUSTER 025　　반복 훈련용 025.mp3

~하는 것은 어려워.　　**Es ist schwer, ~.**

1. 그것을 말하기는 / 설명하기는 어려워.　　Es ist schwer, das zu sagen / zu erklären.

2. 그와 사이좋게 지내기는 어려워.　　Es ist schwer, mich mit ihm zu verstehen.

3. 집 구하는 건 어려워.　　Es ist schwer, eine Wohnung zu finden.

4. 딱 맞는 직업을 찾기는 정말 어려워.　　Es ist eben schwer, einen passenden Beruf zu finden.

5. 잘못을 인정하는 일은 어려워.　　Es ist schwer, Fehler einzugestehen.

MUSTER 026　　반복 훈련용 026.mp3

A는 유감이야.　　**Es ist schade um + A.**

1. 유감이야!　　(Es ist) Schade!

2. 노력을 많이 기울였는데 (성과가 없어) 유감이야.　　Es ist schade um die viel Mühe.

3. 먹을 것이 많은데 (배가 불러) 유감이야.　　Es ist schade um das Essen.

4. 바꾸지 못해서 안타까워.　　Es ist schade, aber nicht zu ändern.

5. 네가 함께하지 못한 것은 유감이야.　　Es ist schade, dass du nicht dabei warst.

MUSTER 027　　반복 훈련용 027.mp3

내겐 ~해.　　**Mir ist adj.**

1. 더워 / 추워 / 따뜻해.　　Mir ist heiß / kalt / warm.

2. 지루해.　　Mir ist langweilig.

3. 좋지 않고 어지러워.　　Mir ist schlecht und schwindelig.

4. 둘 다 내겐 똑같아.　　Mir ist beides gleich.

5. 다른 사람이 나에 대해 뭐라고 생각 하든 상관없어.

Mir ist egal, was andere über mich denken.

반복 훈련용 028.mp3

MUSTER 028

| 그게 ~해? | Ist es adj? |

1. 잘되고 있어? — Ist es okay?
2. 그것이 가능해 / 불가능해? — Ist es möglich / unmöglich?
3. 그게 사실이야? — Ist es wahr / echt / richtig?
4. 그게 좋아 / 더 좋아 / 최고야? — Ist es gut / besser / am besten?
5. 그게 보통이야? — Ist es normal?

반복 훈련용 029.mp3

MUSTER 029

| ~할 시간이야. | Es ist Zeit, ~. |

1. 밥 먹을 시간이야. — Es ist Zeit, zu essen.
2. 갈 시간이야. — Es ist Zeit, zu gehen.
3. 잘 시간이야. — Es ist Zeit, zu schlafen.
4. 놀 시간이야. — Es ist Zeit, zu spielen.
5. 쉬는 시간이야. — Es ist Zeit, Pause zu machen.

반복 훈련용 030.mp3

MUSTER 030

| 그것은 ~이야. | Das ist ~. |

1. 최고야! / 허튼 소리! — (Das ist) super! / Quatsch!
2. 그거 완전 간단해! — Das ist doch total einfach!
3. 그것은 내 사정이 아냐. — Das ist nicht mein Bier.
4. 성공이야. — Das ist mir gelungen.
5. 그것은 똑바르고, 그것은 삐뚤어요. — Das ist gerade, das ist schief.

MUSTER 031

반복 훈련용 031.mp3

그것은 ~이었어.　　　　Das war ~.

1. 그것이 살짝 모자랐어.　　　　Das war knapp.
2. 그것은 내 잘못이야.　　　　Das war mein Fehler.
3. 그때가 제일 좋았어.　　　　Das war die beste Zeit.
4. 고의가 아니었습니다.　　　　Das war keine Absicht.
5. 그건 명령이었어!　　　　Das war ein Befehl!

MUSTER 032

반복 훈련용 032.mp3

~하는 것이 내 목표야.　　　Mein Ziel ist es, zu ~.

1. 독일어 실력을 향상시키는 것이 내 목표야.　　　Mein Ziel ist es, mein Deutsch zu verbessern.
2. 독일로 여행가는 것이 내 목표야.　　　Mein Ziel ist es, nach Deutschland zu reisen.
3. 독일 친구들을 많이 사귀는 것이 내 목표야.　　　Mein Ziel ist es, viele deutsche Freunde zu haben.
4. 독일어 책을 읽는 것이 내 목표야.　　　Mein Ziel ist es, deutsche Bücher zu lesen.
5. 포르쉐에 취업하는 것이 내 목표야.　　　Mein Ziel ist es, bei Porsche zu arbeiten.

MUSTER 033

반복 훈련용 033.mp3

N은 …로 유명해.　　　N ist bekannt ….

1. 알디는 저렴한 상품으로 유명해.　　　ALDI ist bekannt für günstige Waren.
2. 이케아는 많은 품목으로 유명해.　　　IKEA ist bekannt für sein großes Warensortiment.
3. 루어 지역은 석탄채굴지로 유명해.　　　Das Ruhrgebiet ist bekannt als Kohleabbaugebiet.
4. 프랑크푸르트 암 마인은 경제로 유명해.　　　Frankfurt am Main ist bekannt für seine Wirtschaft.
5. 함부르크는 항구도시로 유명해.　　　Hamburg ist bekannt als Hafenstadt.

EINHEIT ⑫ haben ~을/를 가지다

MUSTER 034
난 A를 갖고 있어.　　　　　Ich habe + A.

1. 나에게 좋은 생각이 있어.　　　Ich habe eine gute Idee.
2. 배고파 / 목말라.　　　　　　　Ich habe Hunger / Durst.
3. 난 자유야!　　　　　　　　　　Ich habe frei!
4. 질문이 있어.　　　　　　　　　Ich habe eine Frage.
5. 관계에 있어 내가 결정권을 갖고 있어! Ich habe die Hose in meiner Beziehung an!

반복 훈련용 035.mp3

MUSTER 035
A 주세요.　　　　　　　　Ich hätte gerne A.

1. 포크커틀릿(돈가스) 주세요.　　Ich hätte gerne ein paniertes Schnitzel vom Schwein.
2. 탄산수 / 콜라 / 슈페치 / 압펠숄레 주세요.　Ich hätte gerne Sprudel / Cola / Spezi / eine Apfelschorle.
3. 메뉴 / 계산서 주세요.　　　　Ich hätte gerne die Speisekarte / die Rechnung.
4. 파라세타몰 주세요.　　　　　Ich hätte gerne Paracetamol.
5. 삼겹살 3kg 주세요.　　　　　Ich hätte gerne 3kg Schweinebauch.

반복 훈련용 036.mp3

MUSTER 036
난 A를 가지고 왔어.　　　Ich habe A dabei.

1. 그것을 가지고 왔어요.　　　　Ich habe es dabei.
2. 보험증을 갖고 오지 않았는데요.　Ich habe die Versicherungskarte nicht dabei.
3. 증명서를 갖고 오지 않았는데요.　Ich habe die Bescheinigung nicht dabei.
4. 신분증명서를 갖고 오지 않았는데요.　Ich habe den Personalausweis nicht dabei.
5. 통장을 가지고 오지 않았는데요.　Ich habe den Kontoauszug nicht dabei.

MUSTER 037

반복 훈련용 037.mp3

난 ~할 계획이야.　　　　**Ich habe vor, ~.**

1. 새 노트북을 살 계획이야.
Ich habe vor, mir einen neuen Laptop zu kaufen.

2. 미리암 집에 갈 계획이야.
Ich habe vor, Miriam zu besuchen.

3. 쾰른을 여행할 계획이야.
Ich habe vor, nach Köln zu reisen.

4. 비자를 신청할 계획이야.
Ich habe vor, mein Visum zu beantragen.

5. 세미나를 취소할 계획이야.
Ich habe vor, das Seminar abzusagen.

MUSTER 038

반복 훈련용 038.mp3

난 A에 관심(마음)이 있어.　　　**Ich habe (keine) Lust auf + A.**

1. 난 낯선 문화에 관심이 많아.
Ich habe Lust auf fremde Kulturen.

2. 독일어를 배우는 것에 관심이 많아.
Ich habe Lust, Deutsch zu lernen.

3. (지금은) 관심 없어.
(Ich habe jetzt) keine Lust.

4. 공부에 흥미가 없어.
Ich habe keine Lust auf mein Studium.

5. 난 더 이상 싸울 마음도, 힘도 없어!
Ich habe keine Lust mehr und auch keine Kraft mehr, zu kämpfen!

MUSTER 039

반복 훈련용 039.mp3

난 D가 두려워 / 걱정이야.　　　**Ich habe (keine) Angst vor + D.**

1. 낯선 사람이 두려워.
Ich habe Angst vor Fremden.

2. 사람들 앞에서 말하는 것이 두려워.
Ich habe Angst, vor Leuten zu sprechen.

3. 실수할까봐 두려워.
Ich habe Angst, etwas falsch zu machen.

4. 시험에 떨어질까 걱정이야.
Ich habe Angst, in der Prüfung durchzufallen.

5. 그가 거절할까봐 걱정돼.
Ich habe Angst, dass er nein sagt.

MUSTER 040

반복 훈련용 040.mp3

난 D에 문제가 있어.　　　**Ich habe ein Problem mit + D.**

1. 문제없어.
(Ich habe) kein Problem.

2. 내 핸드폰에 문제가 있어.   Ich habe ein Problem mit meinem Handy.

3. 상사와 문제가 있어.   Ich habe ein Problem mit meinem Chef.

4. 비자에 문제가 있어.   Ich habe ein Problem mit meinem Visum.

5. 스카이프 로그인에 문제가 있어.   Ich habe ein Problem damit, mich bei Skype anzumelden.

MUSTER 041
반복 훈련용 041.mp3

난 ~한 느낌이야.   Ich habe das Gefühl, ~.

1. 느낌이 좋아.   Ich habe ein gutes Gefühl.

2. 최고로 행복해!   Ich habe das Gefühl, auf Wolke sieben zu schweben.

3. (머리가) 돌아버릴 것 같아.   Ich habe das Gefühl, durchzudrehen.

4. 깊은 구덩이에 빠진 느낌이야.   Ich habe das Gefühl, in ein tiefes Loch zu fallen.

5. 숨막히는 느낌이야.   Ich habe das Gefühl, dass ich ersticke.

MUSTER 042
반복 훈련용 042.mp3

난 ~할 시간이 없어.   Ich habe keine Zeit, ~.

1. 난 오늘 시간 없어.   Ich habe heute keine Zeit.

2. 더 이상 시간이 없어.   Ich habe keine Zeit mehr.

3. 쉴 시간이 없어.   Ich habe keine Zeit für eine Pause.

4. 널 기다릴 시간이 없어.   Ich habe keine Zeit, auf dich zu warten.

5. 난 그것에 몰두할 시간이 없어.   Ich habe keine Zeit, mich damit zu beschäftigen.

MUSTER 043
반복 훈련용 043.mp3

난 ~에 대해서 모르겠어.   Ich habe keine Ahnung von + D.

1. 몰라.   (Ich habe) keine Ahnung.

2. 난 정치에 대해 몰라.   Ich habe keine Ahnung von Politik.

3. 무엇을 공부해야 할지 모르겠어.   Ich habe keine Ahnung, was ich studieren soll.

4. 난 그가 누군지 모르겠어.	Ich habe keine Ahnung, wer er ist.
5. 난 사람들이 왜 그렇게 흥분하는지 모르겠어.	Ich habe keine Ahnung, warum die Leute sich so aufregen.

MUSTER 044
반복 훈련용 044.mp3

난 ~가 아파.　　Ich habe ~schmerzen.

1. 머리가 아파.	Ich habe Kopfschmerzen.
2. 이가 아파.	Ich habe Zahnschmerzen.
3. 오늘 아침부터 배가 아파.	Seit heute Morgen habe ich Bauchschmerzen.
4. 등이 아파.	Ich habe Rückenschmerzen.
5. 아랫배가 아파.	Ich habe Schmerzen im Unterbauch.

MUSTER 045
반복 훈련용 045.mp3

난 ~해야만 해.　　Ich habe ~ zu tun.
난 D와 관련이 있어.　　Ich habe mit + D zu tun.

1. 난 할 일이 많아.	Ich habe viel zu tun.
2. 할 게 없어.	Ich habe nichts zu tun.
3. 할 일이 꽉 찼어.	Ich habe alle Hände voll zu tun.
4. 난 그것과 관련이 없어.	Ich habe nichts damit zu tun.
5. 난 그와 상관없어.	Ich habe mit ihm nichts zu tun.

MUSTER 046
반복 훈련용 046.mp3

난 이미 ~했어.　　Ich habe schon + p. p..

1. 난 이미 그것을 완수했어.	Ich habe es schon geschafft.
2. 난 이미 그것을 했어.	Ich habe es schon gemacht.
3. 내가 이미 언급했어 / 말했어.	Ich habe es schon mal erwähnt / gesagt.
4. 난 벌써 먹었어.	Ich habe schon gegessen.
5. 난 벌써 요리를 시작했어.	Ich habe schon angefangen, zu kochen.

MUSTER 047

난 아직 ~하지 못했어.　　　　**Ich habe noch nicht(s) + p. p..**

1. 난 아직 아무런 계획도 못세웠어.　　　Ich habe noch nichts geplant.
2. 난 아직 아무것도 못 들었어.　　　　Ich habe noch nichts gehört.
3. 난 아직 아무것도 못썼어.　　　　　Ich habe noch nichts geschrieben.
4. 아직 물건을 받지 못 했어.　　　　Ich habe meinen Artikel noch nicht erhalten.
5. 난 아직 대답하지 않았어.　　　　　Ich habe noch nicht geantwortet.

MUSTER 048

넌 A를 가지고 있어.　　　　**Du hast A.**

1. 네가 옳아!　　　　　　　　　Du hast recht.
2. 넌 좋겠구나.　　　　　　　　Du hast es gut.
3. 그것은 네 손에 달렸어.　　　　Du hast es selbst in der Hand.
4. 너라서 쉽게 말하는 거야.　　　Du hast leicht reden.
5. 넌 잭팟을 터트렸어.　　　　　Du hast den Jackpot gezogen.

MUSTER 049

넌 A를 가지고 있니?　　　　**Hast du A?**

1. 내일 수업 있는지 어떤지 알아?　　　Hast du eine Ahnung, ob der Unterricht morgen stattfindet?
2. 게임할 마음 있어?　　　　　　　Hast du Lust auf ein Spiel?
3. 오늘 기분 좋아?　　　　　　　　Hast du heute gute Laune / ein gutes Gefühl?
4. 문제 있어?　　　　　　　　　　Hast du ein Problem?
5. 스트레스 받았어?　　　　　　　　Hast du Stress?

MUSTER 050

넌 그것을 ~했니?　　　　**Hast du es ~ ?**

1. 그거 다 완수했어?　　　　Hast du es geschafft?
2. 그거 이해했어?　　　　　Hast du es verstanden / kapiert?

3. 잘 잤어?   Hast du gut geschlafen?

4. 그녀에 대한 어떤 소식 들었어?   Hast du etwas von ihr gehört?

5. 모든 것을 잊었어?   Hast du alles vergessen?

EINHEIT ❸ 말

MUSTER 051

반복 훈련용 051.mp3

난 A를 말해.	**Ich sage A.**

1. 응 / 아니 / 고마워!   Ich sage ja / nein / Danke!

2. 난 약속을 취소했어.   Ich sagte den Termin ab.

3. 난 이미 그것을 말했어.   Ich sagte es bereits.

4. 내가 말 좀 할게.   Ich wollte sagen.

5. 네게 알려줄 소식이 있어.   Ich wollte dir Bescheid sagen.

MUSTER 052

반복 훈련용 052.mp3

독일어로 A를 뭐라고 하죠?	**Wie sagt man A auf Deutsch?**

1. "생일 축하해"를 독일어로 뭐라고 하죠?   Wie sagt man "happy birthday" auf Deutsch?

2. '그런데'를 독일어로 뭐라고 하죠?   Wie sagt man "by the way" auf Deutsch?

3. "만나서 반가워"를 독일어로 뭐라고 하죠?   Wie sagt man "nice to meet you" auf Deutsch?

4. '건배'를 독일어로 뭐라고 하죠?   Wie sagt man "cheers" auf Deutsch?

5. "담당자 분께"를 독일어로 뭐라고 하죠?   Wie sagt man "to whom it may concern" auf Deutsch?

MUSTER 053

반복 훈련용 053.mp3

난 ~라고 말했어.	**Ich habe ~ geredet.**

1. 말을 너무 많이 했어.   Ich habe zu viel geredet.

2. 난 너에 대해 한 번도 나쁘게 말한 적 없어.　Ich habe niemals schlecht über dich geredet.

3. 벽 보고 이야기하는 줄 알았어.　Ich habe gegen eine Wand geredet.

4. 난 그녀와 (데이트) 약속을 했어.　Ich habe mich mit ihr verabredet.

5. 난 부모님을 설득하지 못했어.　Ich konnte meine Eltern nicht überreden.

MUSTER 054　　　　　　　　　　반복 훈련용 054.mp3

넌 ~하게 말하는구나.　Du redest / sprichst ~.

1. 넌 쉴 새 없이 말하는구나.　Du redest ohne Punkt und Komma.

2. 넌 헛소리 하는구나.　Du redest Schwachsinn.

3. 넌 나오는 대로 말하는구나.　Du redest dich gerade um Kopf und Kragen.

4. 하지만 넌 독일어를 잘 말해.　Du sprichst aber gut Deutsch.

5. 너의 말에 전적으로 동의해.　Du sprichst mir aus der Seele.

MUSTER 055　　　　　　　　　　반복 훈련용 055.mp3

무슨 생각해?　Woran denkst du?
난 A를 생각해.　Ich denke an + A.

1. 나는 너를 생각해.　Ich denke an dich.

2. 난 그의 말을 생각해.　Ich denke an seine Rede.

3. 난 그 시간을 추억해.　Ich denke an die Zeit zurück.

4. 난 네가 옳다고 생각해.　Ich denke, dass du recht hast.

5. 난 그가 무례하다고 생각해.　Ich denke, dass er unhöflich ist.

EINHEIT **04** 생각

반복 훈련용 056.mp3

MUSTER 056

무슨 생각을 곰곰 하고 있니?	**Worüber denkst du nach?**
난 A에 대해 곰곰 생각하고 있어.	**Ich denke über + A nach.**

1. 난 내 삶에 대해 곰곰 생각하고 있어.   Ich denke über mein Leben nach.

2. 난 그의 제안에 대해 곰곰 생각하고 있어.   Ich denke über seinen Vorschlag nach.

3. 난 이별에 대해 곰곰이 생각하고 있어.   Ich denke über eine Trennung nach.

4. 난 계속 공부를 해야 할지 아닐지 곰곰이 생각하고 있어.   Ich denke darüber nach, ob ich weiter studieren soll.

5. 난 새 일자리를 찾아야 할지 아닐지에 대해 곰곰 생각하고 있어.   Ich denke darüber nach, ob ich eine neue Arbeitsstelle suchen muss.

반복 훈련용 057.mp3

MUSTER 057

너 무슨 의미로 말하는 거야?	**Was meinst du?**
난 A라는 의미로 말해.	**Ich meine A.**

1. 그게 내가 말하고자 하는 거야.   Das meine ich.

2. 난 진지하게 말하는 거야.   Ich meine es ernst.

3. 난 그것이 네게 좋다고 생각해.   Ich meine es gut mit dir.

4. 난 아무도 나에게 강요할 수 없다고 말하는 거야.   Ich meine, dass niemand mich dazu zwingen darf.

5. 나는 네가 노력해야 한다고 말하는 거야.   Ich meine, dass du dich darum bemühen solltest.

반복 훈련용 058.mp3

MUSTER 058

넌 A라는 의미로 말하는 거니?	**Meinst du A?**

1. 나보고 말하는 거야?   Meinst du mich?

2. 너 그걸 진심으로 말하는 거야?   Meinst du das ernst?

3. 너 잘 못지낸다고 말하는 거니?   Meinst du, dir geht es schlecht?

4. 넌 내가 그걸 신경 써야 한다고 말하는 거니? — Meinst du, ich soll mich darum kümmern?

5. 넌 내일 비가 온다고 말하는 거니? — Meinst du, es regnet morgen?

MUSTER 059

반복 훈련용 059.mp3

난 A를 찾고 있어. — **Ich suche A.**
난 A를 찾았어. — **Ich habe A gefunden.**

1. 난 내 지갑을 찾고 있어. — Ich suche meinen Geldbeutel.
2. 난 내 지갑을 찾았어. — Ich habe meinen Geldbeutel gefunden.
3. 난 베를린에 있는 내 친구를 방문해. — Ich besuche meinen Freund in Berlin.
4. 난 최선을 다해 시도할 거야. — Ich versuche, mein Bestes zu geben.
5. 난 노트북의 바이러스를 검사하고 있어. — Ich untersuche meinen Laptop auf Viren.

MUSTER 060

반복 훈련용 060.mp3

넌 A를 어떻게 생각해? — **Wie findest du A?**
난 A는 adj라고 생각해. — **Ich finde A + adj.**

1. 난 그것이 예쁘다고 생각해! — Ich finde es schön!
2. 난 그것이 적합하다고 생각해! — Ich finde es in Ordnung!
3. 난 그 생각이 좋다고 생각해. — Ich finde die Idee gut.
4. 난 모든 게 훌륭하다고 생각해. — Ich finde alles klasse.
5. 난 너 스스로 건강을 지켜야 한다고 생각해. — Ich finde, dass du dich schonen musst.

MUSTER 061

반복 훈련용 061.mp3

난 A를 기억하고 있어. — **Ich erinnere mich an + A.**

1. 난 그것을 기억하고 있어. — Ich erinnere mich daran.
2. 난 널 기억하고 있어. — Ich erinnere mich an dich.
3. 난 그 멋진 시간을 좋게 기억하고 있어. — Ich erinnere mich gern an die schöne Zeit.
4. 난 내가 어디선가 그녀를 봤다는 사실을 기억하고 있어. — Ich erinnere mich daran, ich habe sie schon irgendwo gesehen.

5. 난 네가 이미 그걸 내게 말했다는 걸 기억해.

Ich erinnere mich daran, dass du mir das schon mal gesagt hast.

MUSTER 062

반복 훈련용 062.mp3

난 A를 잊어버렸어. **Ich habe A vergessen.**

1. 내 핀 번호를 잊어버렸어.

Ich habe meine PIN vergessen.

2. 그의 이름을 잊어버렸어.

Ich habe seinen Namen vergessen.

3. 그것을 (완전히) 까먹었어.

Ich habe es (total) vergessen.

4. 네게 그 소식을 말해주는 걸 잊어 버렸어.

Ich habe vergessen, dir den Bescheid zu sagen.

5. 너도 온다는 걸 잊어버렸어.

Ich habe vergessen, dass du auch kommst.

MUSTER 063

반복 훈련용 063.mp3

난 A를 알아. **Ich weiß A.**
난 A를 알아. **Ich kenne A.**

1. 난 그것을 몰라.

Ich weiß / kenne es nicht.

2. 이제 난 그것이 어떻게 작동되는지 알아.

Jetzt weiß ich, wie der Hase läuft.

3. 난 그것의 가치를 알아.

Ich weiß, das zu schätzen.

4. 난 그를 잘 몰라.

Ich kenne ihn nur vom Sehen.

5. 난 단지 멜로디만 알아.

Ich kenne nur die Melodie.

EINHEIT 05 감정

MUSTER 064

반복 훈련용 064.mp3

난 ~해 / ~라 느껴. **Ich fühle mich ~.**

1. 기분이 좋아 / 더 좋아 / 정말 좋아.

Ich fühle mich gut / besser / sehr wohl.

2. 매우 존중받는 기분이야.

Ich fühle mich sehr geehrt.

3. 지금 칭찬받는다고 느껴.

Jetzt fühle ich mich geschmeichelt.

4. 이용당하는 기분이야.　　　　　Ich fühle mich ausgenutzt.

5. 난 널 떠보고 있어.　　　　　　Ich fühle dir auf den Zahn.

MUSTER 065　　　　　　　　　　　　　반복 훈련용 065.mp3

A에 대해 감사해 / 고마워!　　**Danke für + A!**

1. 정말 고마워!　　　　　　　　　Danke schön!
　　　　　　　　　　　　　　　　= Vielen Dank!

2. 이 음식에 감사해!　　　　　　　Danke für das Essen!

3. 너의 친절한 도움에 감사해!　　Danke für deine freundliche Hilfe!

4. 너의 초대에 감사해!　　　　　　Danke für deine Einladung!

5. 염려해줘서 고마워!　　　　　　Danke der Nachfrage!

MUSTER 066　　　　　　　　　　　　　반복 훈련용 066.mp3

A에 대해 미안해.　　　　　　**Entschuldige A.**
A에 대해 미안해.　　　　　　**Entschuldigung für + A.**

1. 실례합니다!　　　　　　　　　Entschuldigen Sie bitte!
　　　　　　　　　　　　　　　　= Entschuldigung!

2. 답장이 늦어서 죄송합니다!　　Entschuldigung für meine späte Antwort!

3. 화내서 미안해.　　　　　　　　Entschuldige, dass ich mich aufgeregt habe.

4. 내가 방해했다면 미안해.　　　Entschuldige, wenn ich störe.

5. 내가 상처 줬다면 미안해.　　　Entschuldige, wenn ich dich verletzt habe.

MUSTER 067　　　　　　　　　　　　　반복 훈련용 067.mp3

난 A에 대해 관심 있어.　　**Ich interessiere mich für + A.**

1. 난 너에게 관심 있어.　　　　　Ich interessiere mich für dich.

2. 난 그 주제에 대해 관심 있어.　Ich interessiere mich für dieses Thema.

3. 난 아무것에도 관심 없어.　　　Ich interessiere mich für nichts.

4. 난 당신이 내놓은 집에 관심이　Ich interessiere mich für die von Ihnen
　있습니다.　　　　　　　　　　angebotene Wohnung.

5. 난 그 자리에 관심 있어.　　　　Ich bin interessiert an der Stelle.

MUSTER 068

난 A가 기뻐.   **Ich freue mich auf / über + A.**

1. 난 네가 기뻐.   Ich freue mich auf dich.
2. 난 이 만남이 / 알아가는 것이 기뻐.   Ich freue mich auf das Treffen / Kennenlernen.
3. 난 여름방학이 기뻐.   Ich freue mich auf die Sommerferien.
4. 난 이 선물이 기뻐.   Ich freue mich über das Geschenk.
5. 난 이 기회가 기뻐.   Ich freue mich über die Gelegenheit.

MUSTER 069

난 A를 믿어.   **Ich verlasse mich auf + A.**
난 Jm을 / A를 믿어.   **Ich vertraue + Jm / auf + A.**

1. 난 널 믿어.   Ich verlasse mich auf dich.
2. 난 널 믿어.   Ich vertraue dir.
3. 난 나의 감각을 믿어.   Ich verlasse mich auf meine Sinne.
4. 난 전문가의 판단을 믿어.   Ich vertraue dem Urteil der Experten.
5. 난 그가 자기 말을 지킬 거라고 믿어.   Ich vertraue darauf, dass er sein Wort hält.

MUSTER 070

난 A를 기다리고 있어.   **Ich warte auf + A.**

1. 난 널 기다리고 있어.   Ich warte auf dich.
2. 난 대답을 기다리고 있어.   Ich warte auf eine Antwort.
3. 난 그녀의 전화를 기다리고 있어.   Ich warte auf ihren Anruf.
4. 난 너의 소식을 기다리고 있어.   Ich warte auf eine Nachricht von dir.
5. 난 금요일을 기다리고 있어.   Ich warte auf Freitag.

MUSTER 071

나는 네가 A하길 바라.   **Ich wünsche dir A.**
난 A를 희망해.   **Ich hoffe auf + A.**

1. 성공하길 바라.   Ich wünsche dir viel Erfolg.

2. 생일에 모든 것이 좋길 바라.   Ich wünsche dir alles Gute zum Geburtstag.

3. 좋은 날씨이길 희망해.   Ich hoffe auf gutes Wetter.

4. 좋은 공동작업이 되길 희망해.   Ich hoffe auf eine gute Zusammenarbeit.

5. 네가 잘 지내길 희망해.   Ich hoffe, es gehr dir gut.

MUSTER 072   반복 훈련용 072.mp3

D를 진심으로 축하해!   **Herzlichen Glückwunsch zu + D!**

1. 생일을 진심으로 축하해!   Herzlichen Glückwunsch zum Geburtstag!

2. 시험 합격을 진심으로 축하해!   Herzlichen Glückwunsch zur bestandenen Prüfung!

3. 새 자동차 산 것을 진심으로 축하해!   Herzlichen Glückwunsch zum neuen Auto!

4. 너의 첫 번째 메달을 진심으로 축하해!   Herzlichen Glückwunsch zu deiner ersten Medaille!

5. 결혼을 진심으로 축하해!   Herzlichen Glückwunsch zur Hochzeit!

MUSTER 073   반복 훈련용 073.mp3

난 A에 대해 화가 나.   **Ich ärgere mich über + A.**

1. 난 직장동료에게 화가 나.   Ich ärgere mich über meinen Kollegen.

2. 나 갈수록 몹시 화가 나.   Ich ärgere mich allmählich grün und blau darüber.

3. 난 그의 잘못된 행동에 화가 나.   Ich ärgere mich über sein Unrecht.

4. 난 관료주의에 화가 나.   Ich ärgere mich über die Bürokratie.

5. 난 외국인 담당 공무원의 무례한 태도에 화가 나.   Ich ärgere mich, dass die Beamten in der Ausländerbehörde unhöflich sind.

MUSTER 074   반복 훈련용 074.mp3

난 A에 대해 Jn이 부러워.   **Ich beneide Jn um + A.**

1. 난 네가 부러워!   Ich beneide dich!

2. 난 너의 행복이 부러워.   Ich beneide dich um dein Glück.

3. 난 너의 아름다움이 부러워.   Ich beneide dich um deine Schönheit.

4. 난 네 여행이 부러워.   Ich beneide dich um deine Reise.

5. 난 그의 성공이 부럽지 않아.   Ich beneide ihn nicht um seinen Erfolg.

EINHEIT ⓪⑥ sehen und hören 보다, 듣다

반복 훈련용 075.mp3

MUSTER 075

난 A를 봐.	**Ich sehe A.**

1. 난 시력이 나빠.   Ich sehe schlecht.

2. 난 그것을 완전히 분명하게 보고 있어.   Ich sehe es ganz deutlich.

3. 나는 그를 보고 있어.   Ich sehe ihn.

4. 나는 그가 오는 걸 보고 있어.   Ich sehe ihn kommen.
= Ich sehe, dass er kommt.

5. 난 그것을 이해해.   Das sehe ich ein.
= Das verstehe ich.

반복 훈련용 076.mp3

MUSTER 076

넌 (단지) A를 보는구나.	**Du siehst (nur) A.**

1. 넌 너무 많은 나무들 앞에서 숲을 보지 않는구나.   Du siehst den Wald vor lauter Bäumen nicht.

2. 넌 단지 외적인 것만 보는구나.   Du siehst nur das Äußere.

3. 넌 단지 네가 보고 싶은 것만 보는구나.   Du siehst nur das, was du sehen willst.

4. 넌 단지 다른 사람의 단점만 보는구나.   Du siehst nur Fehler bei den anderen.

5. 넌 단지 너 자신의 장점만 보는구나.   Du siehst nur auf deinen eigenen Vorteil.

반복 훈련용 077.mp3

MUSTER 077

넌 ~해 보여.	**Du siehst adj aus.**

1. 너 피곤해 보여.   Du siehst müde aus.

2. 너 좋아 / 예뻐 보여.   Du siehst gut / schön aus.

3. 너 완전히 다르게 보여.　　　　　Du siehst so ganz anders aus.

4. 넌 변하지 않은 채로 어리게 보여.　Du siehst unverändert jung aus.

5. 너 모델처럼 보여.　　　　　　　　Du siehst aus wie ein Model.

MUSTER 078　　　　　　　　　　　　　　반복 훈련용 078.mp3

난 A를 듣고 있어.　　　　　**Ich höre A.**

1. 난 음악을 / 라디오를 / 강의를 듣고　Ich höre Musik / Radio / einen Vortrag.
   있어.

2. 잘 안 들려.　　　　　　　　　　Ich höre schlecht.

3. 아침에 자명종 소리가 들리지 않아.　Ich höre morgens den Wecker nicht.

4. 난 네게 귀 기울여.　　　　　　　Ich höre dir zu.

5. 난 그녀가 말하는 / 노래하는 / 웃는　Ich höre sie reden / singen / lachen.
   것을 듣고 있어.　　　　　　　　= Ich höre, dass sie redet / singt / lacht.

MUSTER 079　　　　　　　　　　　　　　반복 훈련용 079.mp3

난 (이미) ~를 들었어.　　　　**Ich habe (schon) gehört, ~.**

1. 지금 막 난 그것을 들었어.　　　　Gerade habe ich es gehört.

2. 난 이미 당신에 대해 많이 들었어요.　Ich habe schon so viel von Ihnen gehört.

3. 난 이미 오랫동안 그에 대해서 듣지　Ich habe schon lange nichts mehr von ihm
   못했어.　　　　　　　　　　　gehört.

4. 난 네가 아팠다고 들었어.　　　　Ich habe gehört, dass du sehr krank warst.

5. 난 내가 스스로 알지 못했던 나에 대한　Ich habe Dinge über mich gehört, die ich
   얘기를 들었어!　　　　　　　　selbst nicht wusste!

MUSTER 080　　　　　　　　　　　　　　반복 훈련용 080.mp3

~하게 들려.　　　　　　　　**Das hört sich adj an.**
~하게 들려.　　　　　　　　**Das klingt adj.**

1. 좋게 들려.　　　　　　　　　　Das hört sich gut an.

2. 멋지게 들려.　　　　　　　　　Das klingt fantastisch.

3. 최악으로 들리는데.　　　　　　　Das hört sich ziemlich schlimm an.

4. 개(가 짓는 것)처럼 들려.   Das hört sich an wie ein Hund.

5. 그가 화난 것처럼 들려.   Das hört sich an, als ob er wütend ist.

~하지 마!   Hör auf, ~!

1. 그만해(조용히 해)! 날 내버려 둬!   Hör bitte auf! Lass mich in Ruhe!

2. 날 괴롭히지 좀 마!   Hör auf mich zu belästigen!

3. 거짓말 좀 하지 마!   Hör doch auf zu lügen!

4. 울지 마 / 울부짖지 마!   Hör auf, zu weinen / heulen!

5. 모든 이의 마음에 들려고 하지 마!   Hör auf, allen gefallen zu wollen!

N은 누구 것이죠?   Wem gehört N?
N은 Jm 것이에요.   N gehört Jm.

1. 이 핸드폰은 / 심카드는 / 돈은 누구 것이죠?   Wem gehört das Handy / die SIM-Karte / das Geld?

2. 여기 놓인 재킷은 누구 것이죠?   Wem gehört die Jacke, die hier liegt?

3. 저기 저 자동차는 누구 것이죠?   Wem gehört dieses Auto dort?

4. 그것은 내 거야!   Das gehört mir!

5. 난 너의 것이 아니야.   Ich gehöre dir nicht.

무엇이 D에 속하지요?   Was gehört zu + D?
N이 D에 속해요.   N gehört zu + D.

1. 부대비용에 무엇이 속하지요?   Was gehört zu den Nebenkosten?

2. 일반 쓰레기에 무엇이 속하지요?   Was gehört zum Restmüll?

3. 그것은 내 임무에 속하지 않아.   Das gehört nicht zu meinen Aufgaben.

4. 난 그 그룹에 속해.   Ich gehöre zur Gruppe.

5. 스위스는 유럽연합에 속하지 않아.   Schweiz gehört nicht zur EU.

EINHEIT 07 gehen und kommen 가다, 오다

MUSTER 084 반복 훈련용 084.mp3

난 ~에 가. 난 ~를 타고 가.	**Ich gehe / fahre / fliege zu ~.** **Ich gehe / fahre / fliege mit ~.**

1. 난 대학교에 / 도서관에 / 집에 가. — Ich gehe zur Uni / in die Bibliothek / nach Hause.
2. 난 파티에 / 방학(여행을) 가. — Ich gehe auf eine Party / in die Ferien.
3. 난 걸어서 가. — Ich gehe zu Fuß.
4. 난 자전거 타고 가. — Ich fahre mit dem Fahrrad.
5. 난 비행기를 타고 가. — Ich fliege mit dem Flugzeug.

MUSTER 085 반복 훈련용 085.mp3

난 ~(해)가고 있어.	**Ich gehe ~.**

1. 난 내 길을 가. — Ich gehe meinen Weg.
2. 나 지금 정말 화났어! — Ich gehe gleich an die Decke!
3. 난 갈등을 피해. — Ich gehe Konflikten aus dem Weg.
4. 난 망했어. — Ich gehe zugrunde.
5. 나 파산했어. — Ich gehe pleite.

MUSTER 086 반복 훈련용 086.mp3

난 ~하러 가.	**Ich gehe + inf.**

1. 장 보러 가. — Ich gehe einkaufen.
2. 수영하러 / 산책하러 가. — Ich gehe schwimmen / spazieren.
3. 샤워하러 가. — Ich gehe duschen.
4. 지금 자러 가. — Ich gehe jetzt schlafen.
5. 밥 먹으러 가. — Ich gehe essen.

MUSTER 087

난 D를 확신해.　　　　**Ich gehe von + D aus.**

1. 난 승리를 확신해.　　　　Ich gehe von einem Sieg aus.
2. 전 이러한 입장에서 시작합니다.　Ich gehe von diesem Standpunkt aus.
3. 난 내일 날씨가 좋을 거라고 확신해.　Ich gehe davon aus, dass das Wetter morgen gut wird.
4. 난 네가 해낼 거라고 확신해.　Ich gehe davon aus, dass du es schaffst.
5. 난 그녀와 데이트할 거야.　Ich gehe mit ihr aus.

MUSTER 088

어떻게 지내?　　　　**Wie geht's dir?**
난 ~하게 지내.　　　**Es geht mir ~.**

1. 난 잘 지내 / 환상적이야.　Es geht mir gut / fantastisch.
2. 난 잘 못 지내 / 최악이야.　Mir geht es so schlimm / ganz schlecht.
3. 그럭저럭 지내.　Es geht mir so lala.
4. 나도 똑같아.　Es geht mir genauso.
5. 점점 좋아지고 있어.　Es geht mir immer besser.

MUSTER 089

A에 대한 것이야.　　　　**Es geht um + A.**

1. 그것은 내겐 문제가 아니야!　Darum geht es mir nicht!
2. 너와 나에 관한 문제야.　Es geht um dich und mich.
3. (이 책은) 살해당한 여성에 관한 것이야.　Es geht (im Buch) um eine ermordete Frau.
4. 지금 그게 중요한 거야.　Jetzt geht es um die Wurst.
5. 옳고 그름이 중요한 게 아니야.　Es geht nicht um recht oder unrecht.

MUSTER 090

| 나는 D 출신이야.
나는 D에서 왔어. | **Ich komme aus + D.**
Ich komme von + D. |

1. 난 한국 출신이야.　　　　　Ich komme aus Süd Korea.

2. 난 서울에서 왔어.　　　　　Ich komme aus Seoul.

3. 난 장 보고 왔어.　　　　　Ich komme vom Einkaufen.

4. 난 시골에서 왔어.　　　　　Ich komme vom Land.

5. 난 슈바르츠발트 출신이야.　Ich komme aus dem Schwarzwald.

MUSTER 091

| ~ 와! | **Komm ~ !** |

1. 들어와!　　　　　　　　Komm herein (rein)!

2. 당장 나와!　　　　　　　Komm sofort heraus (raus)!

3. 여기 와서 내 곁에 앉아봐!　Komm mal her, setz dich zu mir!

4. 가버려, 그리고 다시는 오지 마!　Geh weg und komm nie wieder!

5. 어서!　　　　　　　　　Komm schon!

MUSTER 092

| 그것은 A에 달렸어. | **Es kommt auf + A an.** |

1. 그것에 달렸어.　　　　　　Es kommt darauf an.

2. 그것은 성격에 달렸어.　　　Es kommt auf den Charakter an.

3. 그것은 관점에 달렸어.　　　Es kommt auf den Blickwinkel an.

4. 그것은 크기뿐 아니라 무게에 달렸어.　Es kommt nicht nur auf die Größe, sondern auch auf das Gewicht an.

5. 그것은 네가 무엇을 하고자 하느냐에 달렸어.　Es kommt darauf an, was du willst.

MUSTER 093

| 난 A를 받아. | **Ich bekomme A.** |

1. 난 답장으로 이상한 메일을 받았어.　Ich bekam eine komische Email als Antwort.

2. 난 손님이 있어.   Ich bekomme Besuch.

3. 난 항상 거절당해.   Ich bekomme immer einen Korb.

4. 난 질투심을 제어할 수 있어.   Ich bekomme meine Eifersucht in den Griff.

5. 난 내 임무를 끝낼 수 없어.   Ich bekomme nichts auf die Reihe.

MUSTER 094   반복 훈련용 094.mp3

~에 온 것을 환영해!   **Herzlich Willkommen zu / in ~!**

1. 환영해!   Herzlich Willkommen!

2. 집에 온 것을 환영해!   Herzlich Willkommen zu Hause!

3. 내 생일파티에 온 걸 환영해!   Herzlich Willkommen zu meiner Geburtstagsfeier!

4. 독일에 온 것을 환영해!   Herzlich Willkommen in Deutschland!

5. 튀빙엔에 온 것을 환영해!   Herzlich Willkommen in Tübingen!

EINHEIT 08 machen und tun 하다

MUSTER 095   반복 훈련용 095.mp3

난 A를 하고 있어.   **Ich mache A.**

1. 난 실습을 하고 있어.   Ich mache ein Praktikum.

2. 난 네게 제안할 것이 있어.   Ich mache dir ein Angebot.

3. 난 모든 것을 잘못해 / 망가뜨려.   Ich mache alles falsch / kaputt.

4. 난 금요일에 아무것도 안 해.   Ich mache am Freitag blau.

5. 난 (병원) 진료 예약시간을 잡았어.   Ich mache einen Termin beim Arzt aus.

MUSTER 096   반복 훈련용 096.mp3

난 A를 하지 않아.   **Ich mache kein A.**

1. 난 운동을 하지 않아.   Ich mache keinen Sport.

2. 내가 널 귀찮게 하는 게 아니길 바라. Ich hoffe, ich mache dir keine Umstände.

3. 난 가난한 자와 부자를 차별하지 않아. Ich mache keinen Unterschied zwischen arm und reich.

4. 난 실패를 하지 않아, 다만 그것을 통해 배울 뿐이야. Ich mache keine Fehler, sondern lerne nur dazu.

5. 그것에 대해 숨김없이 말할게. Ich mache keinen Hehl daraus.

MUSTER 097

반복 훈련용 097.mp3

| N은 나에게 A해. | **N macht mir + A.** |

1. 넌 날 신경 쓰이게 만들어. Du machst mir zu schaffen.

2. 넌 날 조롱하는구나! Du machst mir eine lange Nase!

3. 웃기시네! Du machst mir (vielleicht) Spaß!

4. 월드컵은 재밌어! Die WM macht mir Spaß!

5. 그것은 나와 상관없어. Das macht mir nichts aus.

MUSTER 098

반복 훈련용 098.mp3

| A(를) 해! | **Mach A!** |

1. 잘 해! Mach's gut!

2. 문 좀 닫아! Mach bitte die Tür zu!

3. 창문 좀 열어! Mach bitte das Fenster auf!

4. 불 좀 켜 / 꺼! Mach bitte das Licht an / aus!

5. 서둘러! Mach schnell!

MUSTER 099

반복 훈련용 099.mp3

| ~는 유감이야 / ~해서 미안해. N이 아파. | **Es tut mir leid, ~.**
 N tut mir weh. |

1. 미안해. Es tut mir leid.

2. 그것은 유감이야. Das tut mir leid.

3. 그것(슬픈 소식 등)을 듣게 되어 유감이야. Es tut mir leid, das zu hören.

4. 연락 못해서 미안해.　　　Es tut mir leid, dass ich mich nicht gemeldet habe.

5. 머리가 아파.　　　Mein Kopf tut mir weh.

EINHEIT ⑨ stehen und stellen 서다, 세우다

MUSTER 100　　　　　　　　　　　　반복 훈련용 100.mp3

난 ~에 서 있다.　　　**Ich stehe ~.**

1. 난 정류장에 서 있어.　　　Ich stehe an der Haltestelle.

2. 난 내 말(약속)을 지켜.　　　Ich stehe zu meinem Wort.

3. 난 네게 신세를 지고 있어.　　　Ich stehe in deiner Schuld.

4. 난 지금 내 인생의 전환점에 서 있어.　　　Ich stehe gerade an einem Wendepunkt in meinem Leben.

5. 난 언제든지 네 말에 따를 준비가 돼 있어.　　　Ich stehe dir (Ihnen) zur Verfügung.

MUSTER 101　　　　　　　　　　　　반복 훈련용 101.mp3

난 D한 상황(입장)에 있어.　　　**Ich stehe auf + D.**

1. 어찌할 바를 모르겠어.　　　Ich stehe auf dem Schlauch.

2. 난 위험에 처해 있어.　　　Ich stehe auf dünnem Eis.
= Ich stehe in einem Risiko.

3. 난 자립했어.　　　Ich stehe auf eigenen Füßen.

4. 난 널 좋아해.　　　Ich stehe auf dich.
= Ich mag dich.

5. 난 너와 같은 입장이야.　　　Ich stehe auf deiner Seite.

MUSTER 102　　　　　　　　　　　　반복 훈련용 102.mp3

그것은 ~인 상태로 있다.　　　**Es steht ~.**

1. 난 좋아.　　　Es steht gut um mich.

33

2. 그것은 여전히 불투명해.　　Es steht noch in den Sternen.

3. 그것은 내 권한이야.　　Es steht mir zu.

4. 지금 가든 30분 더 있든 그건 네　　Es steht dir frei, ob du jetzt gehst oder in eine
자유야.　　halben Stunde.

5. 그가 자기 자신에게 몰두하고 있는　　Es steht fest, dass er mit sich selbst
것은 분명하다.　　beschäftigt ist.

MUSTER 103　　　　　　　　　　　　　　　반복 훈련용 103.mp3

난 A를 이해해.　　Ich verstehe A.

1. 그걸 난 이해해.　　Das verstehe ich.

2. 난 이해 못해.　　Ich verstehe nur Bahnhof.
　　　　　　　　　= Ich verstehe es nicht.

3. 난 정치에 대해 어느 정도 알아 / 전혀　　Ich verstehe etwas / nichts von Politik.
몰라.

4. 난 그와 잘 지내고 있어.　　Ich verstehe mich mit ihm.

5. 난 그가 나한테 뭘 바라는지 모르겠어.　　Ich verstehe nicht, was er von mir will.

MUSTER 104　　　　　　　　　　　　　　　반복 훈련용 104.mp3

난 A를 세워.　　Ich stelle A.

1. 그 책은 책장에 꽂아뒀어.　　Ich habe das Buch in das Regal gestellt.

2. 난 항상 모든 것을 의심해.　　Ich stelle immer alles in Frage.

3. 난 이 생각을 논의의 주제로 상정해.　　Ich stelle die Idee zur Diskussion.

4. 그것이 얼마나 아름다울지, 난 상상해.　　Ich stelle mir vor, wie schön es wäre.

5. 난 어리석게 행동해.　　Ich stelle mich dumm an.

MUSTER 105　　　　　　　　　　　　　　　반복 훈련용 105.mp3

전 A하기를 원합니다.　　Ich möchte A stellen.

1. 질문이 있습니다.　　Ich möchte eine Frage stellen.

2. 장학금을 신청하고 싶은데요.　　Ich möchte einen Antrag auf ein Stipendium
　　　　　　　　　　　　　　stellen.

3. 잠깐 제 소개를 하고 싶은데요.   Ich möchte mich kurz vorstellen.

4. 피자 주문하기 원하는데요.   Ich möchte eine Pizza bestellen.

5. 키보드 자판을 한국어에서 독일어로   Ich möchte die Tastatur von Koreanisch auf
   바꾸기 원하는데요.   Deutsch umstellen.

EINHEIT ⑩ sitzen und setzen 앉다, 앉히다

MUSTER 106
반복 훈련용 106.mp3
난 D에 앉아 있어.   **Ich sitze auf + D.**

1. 난 내 의자에 앉아 있어.   Ich sitze auf meinem Stuhl.

2. 난 발코니에 앉아서 햇볕을 즐기고   Ich sitze auf dem Balkon und genieße die
   있어.   Sonne.

3. 난 지금 기차 / 버스에 앉아 있어.   Ich sitze gerade im Zug / Bus.

4. 난 하루 종일 집에서 PC 앞에 앉아   Ich sitze den ganzen Tag nur zuhause vor dem
   있어.   PC.

5. 난 안절부절 못하고 있어.   Ich sitze auf heißen Kohlen.

MUSTER 107
반복 훈련용 107.mp3
난 D에 앉고 있어.   **Ich setze mich auf + A.**

1. 난 의자에 앉고 있어.   Ich setze mich auf den Stuhl.

2. 난 이 건물에서 사람들이 담배를 피지 Ich setze mich dafür ein, dass man in diesem
   못하도록 전력을 다할 거야.   Gebäude nicht rauchen darf.

3. 난 내 의지를 관철시키고 말 거야.   Ich setze meinen Willen durch.

4. 난 이러한 사실이 유명한 것으로 간주해. Ich setze diese Tatsache als bekannt voraus.

5. 독일이 이기는 것에 (내기를) 걸었어.   Ich setze darauf, dass Deutschland gewinnt.

MUSTER 108
반복 훈련용 108.mp3
앉혀 / 놓아!   **Setze ~!**

1. 앉아!   Setze dich hin!

2. 내 옆에 앉아!　　　　　Setze dich zu mir!

3. 네 계획을 실행해!　　　　Setze deinen Plan um!

4. 모든 것을 걸지는 마!　　　Setze nicht alles auf eine Karte!

5. 너 자신을 스스로 압박하지 마!　Setze dich nicht unter Druck!

EINHEIT ⑪ liegen und legen 눕다, 눕히다

MUSTER 109　　　　　　　　　　　반복 훈련용 109.mp3

N이 ~에 놓여 있다.　　　　**N liegt ~.**

1. 난 침대에 누워 있어.　　　Ich liege im Bett.

2. 난 바로 / 엎드려 / 옆으로 누워 있어.　Ich liege auf dem Rücken / dem Bauch / der Seite.

3. 그 호텔은 시 외곽에 있어.　Das Hotel liegt am Rand(e) der Innenstadt.

4. 쾰른은 라인 강변에 있어.　Köln liegt am Rhein.

5. 돈 벌기 쉬워.　　　　　　Das Geld liegt auf der Straße.

MUSTER 110　　　　　　　　　　　반복 훈련용 110.mp3

그것은 ~에 놓여 있다.　　　**Es liegt ~.**

1. 그것은 당연한 거야.　　　Das liegt in der Natur der Sache.

2. 그것은 나의 의도가 아니야.　Es liegt nicht in meiner Absicht.

3. 그것은 내게 중요해.　　　Es liegt mir am Herzen.

4. 생각이 나지 않아.　　　　Es liegt mir auf der Zunge.

5. 그것을 의도하진 않았어.　Das liegt mir fern.

MUSTER 111　　　　　　　　　　　반복 훈련용 111.mp3

D는 내게 중요해.　　　　**Es liegt mir an + D.**

1. 너는 내게 매우 중요해.　　Es liegt mir viel an dir.

2. 그것은 내게 더 이상 중요하지 않아.   Es liegt mir nichts mehr daran.

3. 난 네가 선생님 말에 귀 기울이는 것이   Es liegt mir daran, dass du dem Lehrer
   중요하다고 생각해.   zuhörst.

4. 네가 건강해지는 것이 내겐 중요해.   Es liegt mir daran, dass du bald wieder
                                         gesund wirst.

5. 약속을 지키는 것이 내겐 중요해.   Es liegt mir daran, dass ich zu meinem Wort
                                       stehe.

MUSTER 112   반복 훈련용 112.mp3

그건 D 때문이니?   **Liegt es an + D?**

1. 나 때문이야?   Liegt es an mir?

2. 네가 화난 게 나 때문이야?   Liegt es an mir, dass du sauer bist?

3. 그가 오지 않은 것이 나 때문이야?   Liegt es an mir, dass er nicht kommt?

4. 그녀가 화내는 건 누구 때문이니?   An wem liegt es, dass sie ärgerlich ist?

5. 무엇 때문이니?   Woran liegt es?

MUSTER 113   반복 훈련용 113.mp3

난 A를 ~에 놓고 있어.   **Ich lege A ~.**

1. 난 책을 책상 위에 두었어.   Ich legte das Buch auf den Tisch.

2. 난 바나나를 냉장고에 넣었어.   Ich legte die Bananen in den Kühlschrank.

3. 난 진심을 밝힐 거야.   Ich lege die Karten offen auf den Tisch.

4. 난 새로운 메일주소를 개설했어.   Ich legte mir eine neue Email-Adresse an.

5. 난 귀가 얇아.   Ich lege zu viel Wert auf die Meinung anderer.

MUSTER 114   반복 훈련용 114.mp3

A를 ~에 놓아둬!   **Leg A ~!**

1. 엎드려!   Leg dich hin!

2. 안락의자에 발 올리지 마!   Leg die Füße nicht auf den Sessel!

3. 시비 걸지 마!   Leg dich nicht mit mir an!

4. 날 곤란하게 만들지 마!　　Leg mir keine Steine in den Weg!

5. 상처를 건드리지 마!　　Leg nicht den Finger auf die Wunde!

EINHEIT ⑫ geben und nehmen　주다, 잡다

반복 훈련용 115.mp3

MUSTER 115

| 난 A를 줘. | **Ich gebe A.** |

1. 네가 옳아.　　Ich gebe dir Recht.
　　　　　　　　= Du hast recht.

2. 네게 소식을 알려줄게.　　Ich gebe dir Bescheid.

3. 난 최선을 다해.　　Ich gebe mein Bestes.

4. 난 먹는 데 돈을 많이 써.　　Ich gebe viel Geld für Essen aus.

5. 난 숙제를 제출해.　　Ich gebe die Aufgabe ab.

반복 훈련용 116.mp3

MUSTER 116

| A를 줘! | **Gib A!** |

1. 거기 그거 줘!　　Gib mir das Ding da!

2. 조언 좀 해줘!　　Gib mir einen Rat!

3. 차 조심해!　　Gib acht auf den Verkehr!

4. 언제든 희망을 잃지 마!　　Gib die Hoffnung niemals auf!

5. 참견하지 마!　　Gib nicht deinen Senf dazu!

반복 훈련용 117.mp3

MUSTER 117

| A가 있다. | **Es gibt A.** |

1. 사무실에 할 일이 많아.　　Im Büro gibt es viel zu tun.

2. 한 가지 길만 있는 건 아냐.　　Es gibt nicht nur den einen Weg.

3. 삶에는 좋은 날도 궂은 날도 있어.　　Es gibt gute und schlechte Tage im Leben.

4. 말로 표현될 수 없는 것들도 있어.   Es gibt Dinge, die man nicht erzählen kann.

5. 모든 일에는 장점과 단점이 있어.   Es gibt bei jeder Sache Vorteile und Nachteile.

MUSTER 118

반복 훈련용 118.mp3

난 A를 잡아 / 취해.   **Ich nehme A.**

1. 난 손으로 잔을 쥐고 있어.   Ich nehme mein Glas in die Hand.

2. 자동차로 가.   Ich nehme das Auto.

3. 그것에 대해 입장을 취해.   Ich nehme Stellung dazu.

4. 약속 지켜!   Ich nehme dich beim Wort.

5. 난 솔직하게 말해.   Ich nehme kein Blatt vor den Mund.

MUSTER 119

반복 훈련용 119.mp3

난 A2에서 A1를 취해.   **Ich nehme A1 in / auf + A2.**

1. 난 그것을 감수해.   Ich nehme das in Kauf.

2. 난 그것을 시작해.   Ich nehme das in Angriff.

3. 난 그것을 사용해.   Ich nehme das in Anspruch.

4. 내가 그것을 책임져.   Ich nehme das auf meine eigene Kappe.

5. 난 너를 놀리고 있어.   Ich nehme dich auf den Arm.

MUSTER 120

반복 훈련용 120.mp3

난 살이 빠졌어.   **Ich habe abgenommen.**

1. 난 살이 빠졌어 / 쪘어.   Ich habe abgenommen / zugenommen.

2. 난 서랍장을 루카스로부터 넘겨 받았어.   Ich habe eine Kommode von Lukas übernommen.

3. 난 그 모임에 참석해.   Ich nehme an dem Treffen teil.

4. 난 널 받아들일 거야.   Ich nehme dich an.

5. 난 널 신경 써.   Ich nehme mich deiner an.

MUSTER 121

| A를 잡아! | **Nimm A!** |

1. 대기실에 앉아 있으세요!   Nehmen Sie bitte im Wartezimmer Platz!

2. 손 치워!   Nimm die Hände weg!

3. 이 약을 먹어!   Nimm die Tabletten ein!

4. 너무 어렵게 / 비관적으로 / 진지하게   Nimm es nicht so schwer / tragisch / ernst!
   여기지 마!

5. 확신하지 마!   Nimm den Mund nicht zu voll!
   (직역: 입을 가득 채우지 마!)

EINHEIT ⑬ halten, handeln und hängen
붙잡다, 다루다, 걸려 있다

MUSTER 122

| 난 A를 붙잡고 있어. | **Ich halte A.** |

1. 난 젓가락을 바르게 못잡아.   Ich kann das Stäbchen nicht richtig halten.

2. 난 약속은 지켜.   Ich halte mein Versprechen.

3. 내가 널 계속 귀찮게 할게.   Ich halte dich auf Trab.

4. 난 더 이상 그를 참을 수 없어.   Ich halte ihn nicht mehr aus.

5. 난 친절한 사람들과 기꺼이 담소를   Ich unterhalte mich gerne mit netten Leuten.
   나눠.

MUSTER 123

| 난 A1를 A2/adj라고 여겨. | **Ich halte A1 für + A2/adj.** |

1. 난 그것을 좋다고 / 슬기롭다고 /   Ich halte es für gut / sinnvoll / richtig.
   옳다고 여겨.

2. 난 둘 다 매우 중요하게 여겨.   Ich halte beides für sehr wichtig.

3. 난 그것을 최고로 여겨.   Ich halte es für das Beste.

4. 난 그것을 좋은 생각이라 여겨.   Ich halte es für eine gute Idee.

5. 난 네가 정말 부지런하다고 여겨.　　Ich halte dich für sehr fleißig.

A를 잡아!　　　　　Halt A!

1. (잠시) 멈춰!　　　　Halt!
2. 도둑 잡아라!　　　　Haltet den Dieb!
3. 조용히 해!　　　　Halt den Mund!
4. 포기하지 마!　　　　Halt durch!
5. 주의해서 봐!　　　　Halt die Augen offen!

N은 D를 다루고 있어.　　　　N handelt von D.

1. 그 책은 자연을 다루고 있어.　　Das Buch handelt von der Natur.
2. 그 안내지는 학기 일정에 대해 다루고 있어.　Das Informationsblatt handelt von Semesterterminen.
3. 그 사설은 필립 뢰슬러에 대해 다루고 있어.　Der Artikel handelt von Philipp Rösler.
4. 그 연구논문은 세계경제의 의존성에 대해 다루고 있어.　Die Studie handelt von der Abhängigkeit der Weltwirtschaft.
5. 그 영화는 유괴를 다루고 있어.　Der Film handelt von einer Entführung.

그건 A야.　　　　　Es handelt sich um + A.

1. 그건 아름다운 그림이야.　　Es handelt sich um ein schönes Bild.
2. 그건 흥미로운 책이야.　　Es handelt sich um ein spannendes Buch.
3. 그건 자연에 관한 영화야.　　Es handelt sich um einen Film über die Natur.
4. 그건 커다란 식물이야.　　Es handelt sich um eine große Pflanze.
5. 그건 오타야.　　　　Es handelt sich um einen Schreibfehler.

MUSTER 127

N은 D에 달려 있어. **N hängt von + D ab.**

1. 그것에 달렸어. Es hängt **davon** ab.

2. 너 자신에게 달렸어. Es hängt **von dir selbst** ab.

3. 그것은 날씨에 달렸어. Es hängt **vom Wetter** ab.

4. 내 태도는 너한테 달렸어. Mein Verhalten hängt **von dir** ab.

5. 미래는 우리가 오늘 무엇을 하는지에 달렸다. Die Zukunft hängt **davon** ab, was wir heute tun.

MUSTER 128

그것은 D와 관련이 있어. **Es hängt mit + D zusammen.**

1. 그건 그것과 관련 있어. Es hängt **damit** zusammen.

2. 이 두 개념은 관련이 있어. Die beiden Begriffe hängen zusammen.

3. 사람은 자연과 관련이 있어. Der Mensch hängt **mit der Natur** zusammen.

4. 두통은 날씨와 관련이 있어. Die Kopfschmerzen hängen mit **dem Wetter** zusammen.

5. 모든 것은 모든 것에 관련돼 있어. Alles hängt mit **allem** zusammen.

EINHEIT ⑭ 그 밖의 행동에 관한 동사들

MUSTER 129

무엇이 부족하세요? **Was fehlt dir?**
N이 부족합니다. **Mir fehlt N.**

1. 어디 아파? Was fehlt **dir**?

2. 항상 피로한데 뭐가 부족한 거죠? Was fehlt **mir**, wenn ich immer müde bin?

3. 탈모엔 뭐가 부족한 거죠? Was fehlt **bei Haarausfall**?

4. 내겐 동기가 부족해. Mir fehlt **die Motivation**.

5. 나는 자신감이 부족해. Mir fehlt **Selbstvertrauen**.

MUSTER 130

| D의 무엇이 마음에 드니? | Was gefällt dir an + D? |
| N이 마음에 드니? | Gefällt N dir? |

1. 나의 무엇이 마음에 드니?   Was gefällt dir an mir?

2. 네 학업 과정에서 뭐가 맘에 드니?   Was gefällt dir an deinem Studiengang?

3. 독일의 무엇이 마음에 드니?   Was gefällt dir an Deutschland?

4. 일은 맘에 드니?   Gefällt dir deine Arbeit?

5. 집은 마음에 드니?   Gefällt dir deine Wohnung?

MUSTER 131

| N이 떠올라. | Mir fällt N ein. |

1. 지금 떠올랐어.   Mir fällt gerade ein.

2. 약속이 떠올라.   Mir fällt ein Termin ein.

3. 네 이름이 안 떠올라.   Mir fällt dein Name nicht ein.

4. 비밀번호가 생각이 안 나.   Mir fällt mein Passwort nicht ein.

5. 아무것도 떠오르지 않아.   Mir fällt nichts ein.

MUSTER 132

| 난 Jm을 만나고 있어. | Ich treffe mich mit Jm. |

1. 난 조슈아를 만났어.   Ich habe mich mit Josua getroffen.
= Ich habe Josua getroffen.

2. 어려움에 봉착했어.   Ich treffe auf Schwierigkeiten.

3. 넌 정곡을 찌르는구나!   Du triffst den Nagel auf den Kopf!

4. 너 오늘 잘 왔어.   Du triffst es heute gut.

5. 네가 그것을 정확히 맞췄어!   Du hast es genau getroffen!

MUSTER 133

| ~는 잘됐어. | Es trifft sich gut, ~ . |

1. 잘됐어!   Es trifft sich gut!

2. 네가 지금 쉬는 것은 잘하는 거야!   Das trifft sich gut, dass du gerade Pause hast!

3. 그가 오다니 잘됐군!   Das trifft sich gut, dass er kommt!

4. 그가 그것을 하다니 잘됐군!   Das trifft sich gut, dass er das tut!

5. 날씨가 좋다니 잘됐군!   Das trifft sich gut, dass die Sonne scheint!

MUSTER 134
반복 훈련용 134.mp3

어떤 N이 제게 어울릴까요?   **Welch N passt zu mir?**
N이 제게 어울리나요?   **Passt N zu mir?**

1. 그가 제게 어울리나요?   Passt er zu mir?

2. 이 셔츠가 제게 어울리나요?   Passt dieses Hemd zu mir?

3. 어떤 직업이 제게 어울릴까요?   Welcher Beruf passt zu mir?

4. 어떤 머리색이 제게 어울릴까요?   Welche Haarfarbe passt zu mir?

5. 어떤 선글라스가 제게 어울릴까요?   Welche Sonnenbrille passt zu mir?

MUSTER 135
반복 훈련용 135.mp3

난 A가 필요해.   **Ich brauche A.**

1. 난 도움이 / 돈이 필요해.   Ich brauche Hilfe / Geld.

2. 난 더 많은 연습이 필요해.   Ich brauche noch mehr Übung.

3. 난 숙고할 시간이 필요해.   Ich brauche noch Zeit zum Nachdenken.

4. 넌 내게 감사할 필요가 없어.   Du brauchst mir nicht zu danken.

5. 난 전기를 너무 많이 사용해.   Ich verbrauche zu viel Strom.

MUSTER 136
반복 훈련용 136.mp3

난 A를 운반해.   **Ich trage A.**
난 A를 가져와.   **Ich bringe A.**

1. 여행용 가방을 끌고 있어.   Ich trage einen Koffer.

2. 양복을 / 티셔츠를 입고 있어.   Ich trage einen Anzug / T-Shirts.

3. 난 걱정이 많아.   Ich trage viele Sorgen mit mir herum.

4. 난 너에게 차와 케이크를 가져가.   Ich bringe dir Tee und Kuchen.

5. 넌 내게 걱정만 끼치는구나!   Du bringst mir nur Kummer!

MUSTER 137
반복 훈련용 137.mp3

난 A를 알려.   **Ich melde A.**
난 ~에 접수해.   **Ich melde mich ~ an.**

1. 내가 그 사건을 알렸어.   Ich habe den Vorfall gemeldet.
2. 난 핸드폰 분실신고를 하고 있어.   Ich melde mein Handy als gestohlen.
3. 내가 자발적으로 (지원)할게!   Ich melde mich freiwillig!
4. 난 호텔에 체크인 해.   Ich melde mich im Hotel an.
5. 난 전입신고를 / 전출신고를 해.   Ich melde mich bei der Stadt an / ab.

MUSTER 138
반복 훈련용 138.mp3

난 A에 대해 알아보고 있어.   **Ich informiere mich über + A.**

1. 지금 막 다음 학기 수업에 대해 알아보고 있어.   Ich informiere mich gerade erst über die Veranstaltungen nächstes Semester.
2. 여행상품을 알아보고 있어.   Ich informiere mich über Reiseangebote.
3. 교환학생 프로그램에 대해 조사하고 있어.   Ich informiere mich über Austausch-programme.
4. 새로운 직장에 대해 조사하고 있어.   Ich informiere mich über die neue Arbeitsstelle.
5. 학과를 바꿀 수 있는지 알아보고 있어.   Ich informiere mich darüber, wie ich das Studienfach wechseln kann.

MUSTER 139
반복 훈련용 139.mp3

난 D에 몰두(전념)하고 있어.   **Ich beschäftige mich mit + D.**

1. 난 그 주제에 몰두하고 있어.   Ich beschäftige mich mit dem Thema.
2. 난 독일어에 몰두하고 있어.   Ich beschäftige mich mit der deutschen Sprache.
3. 난 그런 사람에게 관심 두지 않아.   Ich beschäftige mich nicht mit solchen Leuten.
4. 난 네 문제에 관심 없어.   Ich beschäftige mich nicht mit deinem Problem.

5. 나 바빠!　　　　　　　　　　Ich bin beschäftigt!

MUSTER 140
반복 훈련용 140.mp3

난 A를 신경 쓰고 있어.　　　**Ich kümmere mich um + A.**
N이 걱정돼.　　　　　　　　**N bekümmert mich.**

1. 난 여자친구에게 신경 쓰고 있어.　　Ich kümmere mich um meine Freundin.

2. 난 공부에 신경 쓰고 있어.　　　Ich kümmere mich um mein Studium.

3. 난 내 삶에 신경 쓰고 있어.　　　Ich kümmere mich um mein Leben.

4. 이라크에서 벌어진 테러 음모가 걱정　Die Terroranschläge im Irak bekümmern
돼.　　　　　　　　　　　　mich.

5. 율리아의 병이 걱정돼.　　　　Julias Krankheit bekümmert mich.

MUSTER 141
반복 훈련용 141.mp3

난 A를 하려고 애쓰고 있어.　　**Ich bemühe mich um + A.**

1. 난 그것을 하려고 애쓰고 있어.　　Ich bemühe mich darum.

2. 나도 역시 너와 좋은 관계로 지내려고　Ich bemühe mich auch um eine gute
애쓰고 있어.　　　　　　　　Beziehung mit dir.

3. 다른 사람의 말에 귀 기울이기 위해　Ich bemühe mich, anderen zuzuhören.
애쓰고 있어.

4. 그것에 적응하기 위해 애쓰고 있어.　Ich bemühe mich, mich daran zu gewöhnen.

5. 선입관을 갖지 않기 위해 애쓰고 있어.　Ich bemühe mich, keine Vorurteile zu haben.

MUSTER 142
반복 훈련용 142.mp3

A에 지원하고 싶습니다.　　　**Ich möchte mich um + A bewerben.**

1. 독일어 어학과정에 지원하고 싶습니다.　Ich möchte mich um einen Deutsch-
　　　　　　　　　　　　　　Sprachkurs bewerben.

2. 유학생을 위한 마스터과정에 지원하고　Ich möchte mich um ein Masterstudium für
싶습니다.　　　　　　　　　internationale Studenten bewerben.

3. 장학금을 신청하고 싶습니다.　　Ich möchte mich um ein Stipendium
　　　　　　　　　　　　　　bewerben.

4. 직장을 구하고 싶습니다.

Ich möchte mich um **eine Arbeitsstelle** bewerben.

5. 방을 구하고 싶습니다.

Ich möchte mich um **ein Zimmer** bewerben.

MUSTER 143

반복 훈련용 143.mp3

A를 부탁드립니다.　　　Ich bitte Sie um + A.

1. 그것을 이해해주시기 바랍니다.

Ich bitte Sie um **Verständnis dafür.**

2. 계산서 주세요.

Ich bitte Sie um **die Rechnung.**

3. 대답해주세요.

Ich bitte dich um **Antwort / Rückmeldung.**

4. 네가 날 도와주길 바라.

Ich bitte dich, **dass du mir hilfst.**

5. 내게 정보를 주길 바라.

Ich bitte dich, **mir Bescheid zu geben.**

MUSTER 144

반복 훈련용 144.mp3

난 A에 찬성하여 결정해.　Ich entscheide mich für + A.
난 A에 반대하여 결정해.　Ich entscheide mich gegen + A.

1. 난 빠른 길로 가기로 결정했어.

Ich entscheide mich für **den kurzen Weg.**

2. 난 아이스크림으로 결정했어.

Ich entscheide mich für **ein Eis.**

3. 난 공부를 포기하기로 결정했어.

Ich entscheide mich dafür, **mein Studium aufzugeben.**

4. 난 독일 사회 민주당에 반대하기로 결정했어.

Ich entscheide mich gegen **die SPD.**

5. 난 폭력을 반대하기로 결정했어.

Ich entscheide mich gegen **Gewalt.**

MUSTER 145

반복 훈련용 145.mp3

N은 (내게) ~처럼 보여.　　N scheint (mir) ~.

1. 내겐 좋아 보여.

Es scheint mir **gut.**

2. 내겐 부가 균등하게 분배된 것이 좋아 보여.

Es scheint mir **gut, dass der Reichtum so gut verteilt ist.**

3. 작동하는 것처럼 보여.

Es scheint zu **funktionieren.**

4. 너는 정말 친절해 보여.

Du scheinst **sehr nett zu sein.**

47

5. 겉보기에는.　　　　　　　Wie es scheint.

EINHEIT ⑮ 가주어 Es

반복 훈련용 146.mp3

MUSTER 146

| A를 추천하다. | **Es empfiehlt sich + A.** |

1. 이 책 읽는 걸 추천해.　　　Es empfiehlt sich, das Buch zu lesen.

2. 스포츠 클럽에 가입하는 것을 추천해.　Es empfiehlt sich, an einem Sportprogramm teilzunehmen.

3. 탄뎀파트너 찾는 것을 추천해.　Es empfiehlt sich, einen Tandempartner zu finden.

4. 병원에 가볼 것을 추천해.　　Es empfiehlt sich, zum Arzt zu gehen.

5. 가능한 많은 사람들을 만나볼 것을 추천합니다.　Es empfiehlt sich, möglichst viele Leute zu treffen.

반복 훈련용 147.mp3

MUSTER 147

| 맛이 좋아.
냄새가 정말 좋아. | **Es schmeckt gut.**
Es riecht sehr gut. |

1. 맛이 정말 좋아요 / 맛있어요!　Es schmeckt sehr gut / lecker!

2. 짠맛이 나네요.　　　　　　Es schmeckt nach Salz.

3. 냄새가 좋아요!　　　　　　Es riecht gut!

4. 생선 냄새가 나네요.　　　　Es riecht nach Fisch.

5. 가스 냄새가 나네요.　　　　Es riecht nach Gas.

반복 훈련용 148.mp3

MUSTER 148

| 비가 와. | **Es regnet.** |

1. 비 와.　　　　　　　　　Es regnet.

2. 번개랑 천둥도 쳐.　　　　Es blitzt und donnert auch.

3. 우박이 내려. Es hagelt.

4. 바람이 불어. Es windet.

5. 해가 나. Die Sonne scheint.

EINHEIT ⑯ können und dürfen 할 수 있다, 해도 된다

난 ~를 할 수 있어. **Ich kann ⋯ + inf.**

1. 나는 당장 일을 시작할 수 있어. Ich kann sofort anfangen, zu arbeiten.

2. 그녀를 용서할 수는 있지만 그녀가 했던 짓을 잊을 순 없어. Ich kann ihr vergeben, doch nicht vergessen, was sie getan hat.

3. 유감스럽게도 난 (더 이상) 할 수 없어. Leider kann ich nicht (mehr).

4. 난 그것을 (스스로) 할 수 있어. Das kann ich (selbst).

5. 그대로 돌려드립니다. Das kann ich nur zurückgeben.

넌 ~할 수 있어. **Du kannst ⋯ + inf.**

1. 넌 그것을 할 수 있어. Du kannst es schaffen.

2. 넌 제일 잘할 수 있어! Du kannst das am besten (tun)!

3. 네가 흥미 있다면, 기꺼이 같이 해도 돼. Du kannst gerne mitmachen, wenn du Lust hast.

4. 사람을 너무 믿으면 속을 수 있어. Du kannst betrogen werden, wenn du jemandem zu sehr vertraust.

5. 너 자신을 제외하고는 다른 사람을 바꿀 순 없어. Du kannst den Anderen nicht ändern, nur dich selbst.

그것은 ~일 수 있어. **Das kann ⋯ + inf.**

1. 그럴 수 있어. Das kann sein.

2. 잘 진행될 수 있어.　　　　　Das kann gut gehen.

3. 야단나겠는걸.　　　　　　　Das kann ja heiter werden.

4. 진실이 아닐 수 있어.　　　　Das kann ja wohl nicht wahr sein.

5. 우연이 아닐 수 있어.　　　　Das kann kein Zufall sein.

MUSTER 152

반복 훈련용 152.mp3

~할 수 있어.　　　　　　**Man kann … + inf.**

1. 그렇게 말할 수 있지.　　　　Das kann man so sagen.

2. 시간을 멈출 순 없어.　　　　Man kann die Zeit nicht anhalten.

3. 모든 것을 가질 순 없어.　　　Man kann nicht alles haben.

4. 할 수 있는 것을 하는 거야.　　Man tut, was man kann.

5. 모두를 만족시킬 순 없어.　　Man kann es nicht allen recht machen.

MUSTER 153

반복 훈련용 153.mp3

~해도 될까요?　　　　　　**Kann ich … + inf?**

1. 내가 해도 될까요?　　　　　Kann ich?

2. 짧게 제 소개를 해도 될까요?　Kann ich mich kurz vorstellen?

3. 내가 도와줘도 될까?　　　　Kann ich dir helfen?

4. 영수증 없이도 교환할 수 있나요?　Kann ich sie ohne Kassenbon umtauschen?

5. 카드로 계산해도 될까요?　　Kann ich mit der Karte bezahlen?

MUSTER 154

반복 훈련용 154.mp3

우리 ~할까요?　　　　　　**Können wir … + inf?**

1. 우리가 해낼 수 있을까?　　　Können wir das schaffen?

2. 우리 내일 2시에 만날까?　　Können wir uns morgen um 14 Uhr treffen?

3. 약속을 미룰 수 있을까?　　　Können wir den Termin verschieben?

4. 우리가 그것을 확신할 수 있을까?　Können wir davon ausgehen?

5. 좀 더 기다릴까?　　　　　　Können wir noch warten?

MUSTER 155

~해주실 수 있을까요?   Kannst du bitte ··· + inf?

1. 좀 천천히, 분명하게 그리고 표준독일어로 말해줄 수 있어?
Kannst du bitte langsam, deutlich und hochdeutsch sprechen?

2. 조용히 좀 해줄 수 있어?
Kannst du bitte leise sein?

3. 창문 좀 열어줄 수 있어?
Kannst du bitte das Fenster öffnen?

4. 소개 좀 해줄 수 있어?
Kannst du dich bitte vorstellen?

5. 비밀번호를 입력해주실 수 있을까요?
Könnten Sie bitte Ihre Geheimnummer eingeben?

MUSTER 156

~해줄 수 있어?   Kannst du mir ··· + inf?

1. 도와줄 수 있어?
Kannst du mir helfen?

2. 대답해줄 수 있어?
Kannst du mir antworten?

3. 돈 좀 빌려줄 수 있어?
Kannst du mir Geld leihen?

4. 그거 설명해줄 수 있어?
Kannst du mir das erklären?

5. 소금 좀 줄 수 있어?
Kannst du mir das Salz geben?

MUSTER 157

~해줄 수 있겠니?   Kannst du mich ··· + inf?

1. 내 말 들리니?
Kannst du mich hören?

2. 마중 나올 수 있니?
Kannst du mich abholen?

3. 나중에 다시 한 번 더 전화해줄 수 있니?
Kannst du mich später noch einmal anrufen?

4. 그것을 내게 보여주겠니?
Kannst du mich das sehen lassen?

5. 내 말을 이해할 수 있니?
Kannst du mich verstehen?

MUSTER 158

~해도 돼.   Du darfst ··· + inf.

1. 말을 놓아도 됩니다.
Sie dürfen mich duzen.

2. 자리에 앉아도 됩니다.   Sie dürfen Platz nehmen.

3. 그에게 병문안 가도 좋습니다.   Sie dürfen ihn im Krankenhaus besuchen.

4. 기꺼이 내게 전화해도 돼.   Du darfst mich gerne anrufen.

5. 먹는 것을 잊지 마라.   Du darfst nicht vergessen, zu essen.

MUSTER 159   반복 훈련용 159.mp3

~해도 될까요?   Darf ich ··· + inf?

1. 해도 될까요?   Darf ich?

2. 잠깐 방해해도 될까요?   Darf ich kurz stören?

3. 질문해도 될까요?   Darf ich dich etwas fragen?

4. 앉아도 될까요?   Darf ich mich setzen?
=Ist der Platz frei?

5. 동석해도 될까요?   Darf ich mich dazusetzen?

MUSTER 160   반복 훈련용 160.mp3

아무도 ~해서는 안 돼.   Niemand darf ··· + inf.

1. 어느 누구도 나를 아프게 해선 안 돼.   Niemand darf mir weh tun.

2. 아무도 내 노트북을 만져선 안 돼.   Niemand darf meinen Laptop anfassen.

3. 여긴 흡연금지야.   Hier darf man nicht rauchen.

4. 어느 누구도 장애가 있다고 해서 피해를 입어선 안 돼.   Niemand darf wegen seiner Behinderung benachteiligt werden.

5. 아무도 자신의 의지에 반해서 무언가를 강요당해선 안 돼.   Niemand darf gegen seinen Willen gezwungen werden, etwas zu tun.

EINHEIT ⑰ mögen und wollen 좋아하다, 할 것이다

MUSTER 161

난 A를 좋아해 (싫어해).　　　**Ich mag + (kein) A.**

1. 난 그것을 매우 좋아해!　　Ich mag es sehr!
2. 난 통밀빵을 제일 좋아해.　　Ich mag Vollkornbrot am liebsten.
3. 난 내 직장동료를 좋아하지 않아.　　Ich mag meinen neuen Kollegen nicht.
4. 난 그런 비겁하고 억지스런 행동을 좋아하지 않아.　　Ich mag so ein feiges Gehabe nicht.
5. 난 클래식 음악을 좋아하지 않아, 하지만 그 곡은 마음에 들어.　　Ich mag keine klassische Musik, aber das gefällt mir.

MUSTER 162

난 ~하는 것을 좋아해.　　**Ich mag es, ⋯ zu inf.**

1. 난 사람들과 담소 나누는 것을 좋아해.　　Ich mag es, mich mit Menschen zu unterhalten.
2. 난 사람들과 어울리는 걸 좋아해.　　Ich mag es, unter Menschen zu sein.
3. 네가 웃으면 난 기꺼이 좋아.　　Ich mag es gern, wenn du lachst.
4. 난 팁 주는 걸 좋아하지 않아.　　Ich mag es nicht, Trinkgeld zu geben.
5. 너희들이 다투는 걸 좋아하지 않아.　　Ich mag es nicht, wenn ihr euch streitet.

MUSTER 163

난 ~하고 싶어.　　**Ich möchte ⋯ + inf.**

1. 카네이션을 사고 싶습니다.　　Ich möchte Nelken kaufen.
2. 핸드폰을 충전하고 싶습니다.　　Ich möchte mein Handy aufladen.
3. 그것에 대해선 말하고 싶지 않아.　　Ich möchte nicht darüber reden.
4. 일하러 가고 싶지 않아.　　Ich möchte nicht arbeiten gehen.
5. 그것에 대해서 조사하고 싶어.　　Ich möchte mich darüber informieren.

MUSTER 164

난 너를 D에 초대하고 싶어.　　**Ich möchte dich zu + D einladen.**

1. 널 초대하고 싶어.　　Ich möchte dich einladen.

2. 저녁식사에 널 초대하고 싶어.　　Ich möchte dich zum Abendessen einladen.

3. 다음번엔 내가 널 커피 마시는 데 초대하고 싶어.　　Beim nächsten Mal möchte ich dich zu einem Kaffee (zum Kaffee) einladen.

4. 생일파티에 널 초대하고 싶어.　　Ich möchte dich zum Geburtstag einladen.

5. 졸업축하연에 널 초대하고 싶어.　　Ich möchte dich zur Abschlussfeier einladen.

MUSTER 165

난 A를 취소하고 싶어.　　**Ich möchte A kündigen.**

1. 핸드폰 계약을 취소하고 싶어.　　Ich möchte meinen Handyvertrag kündigen.

2. 집 임대해약을 알리고 싶어.　　Ich möchte meine Wohnung kündigen.

3. 내 은행계좌를 취소하고 싶어.　　Ich möchte mein Bankkonto kündigen.

4. 직장에 사표를 내고 싶어.　　Ich möchte meine Arbeitsstelle kündigen.

5. 그와 친교를 끊고 싶어.　　Ich möchte ihm die Freundschaft kündigen.

MUSTER 166

넌 ~하길 원해?　　**Möchtest du ⋯ + inf?**

1. 뭔가 더 원해(원하세요)?　　Möchtest du (Möchten Sie) noch etwas dazu?

2. 뭔가 마시길 원해?　　Möchtest du was trinken?

3. 커피나 차 중 뭘 마시고 싶어?　　Möchtest du Kaffee oder Tee (trinken)?

4. 케이크 먹고 싶어?　　Möchtest du ein Stück Kuchen?

5. 같이 놀길 원해?　　Möchtest du mit uns zusammen (spielen)?

MUSTER 167

난 ~할 거야.　　**Ich will ⋯ + inf.**

1. 난 이곳을 떠날 거야.　　Ich will weg von hier.

2. 난 독일 전국을 여행할 거야.　　Ich will durch ganz Deutschland reisen.

3. 프랑크푸르트에서 일자리를 찾아볼 거야.

Ich will mich in Frankfurt um einen Arbeitsplatz bewerben.

4. 그게 바로 내가 정말 바라는 거야.

Das will ich doch stark hoffen.

5. 그저 장난이야.

Ich will doch nur spielen.

넌 ~하려고 하니?　　　Willst du ··· + inf?

1. 그것에 대해 말하려는 거니?

Willst du darüber reden?

2. 정말 그것을 알고자 하는 거니?

Willst du das wirklich wissen?

3. 나와 데이트할래요?

Willst du mit mir ausgehen?

4. 시비 거는 거니?

Willst du dich mit mir anlegen?

5. 너 계속 (주제에서) 벗어날 거니?

Willst du noch weiter abschweifen?

네가 원하는 대로.　　　was / wie du willst.

1. 네 마음대로.

Wie du willst.

2. 네가 하고자 하는 것을 해.

Mach, was du willst.

3. 난 네가 무엇을 하고자 하는지 모르겠어.

Ich weiß nicht, was du willst.

4. 난 네가 시키는 모든 걸 할 거야.

Ich mache alles, was du von mir willst.

5. 원하는 만큼 가져.

Nimm dir, so viel du willst.

난 ~하고자 해.　　　Ich wollte ··· + inf.

1. (네게) 말하려 해.

Ich wollte (dir) sagen.

2. 네게 더 말하고자 하는 것이 있어.

Ich wollte dir noch sagen.

3. 난 단지 너에게 알려주고자 해.

Ich wollte dich nur wissen lassen.

4. 네게 물어보려 해.

Ich wollte dich fragen.

5. 예전부터 너랑 영화관에 가려고 했어. Ich wollte schon immer mal mit dir ins Kino gehen.

EINHEIT ⑱ müssen und sollen 해야 한다

반복 훈련용 171.mp3

MUSTER 171

| 난 ~해야 해. | **Ich muss ⋯ + inf.** |

1. 난 지금 가야 해. Ich muss jetzt gehen.
2. 난 화장실에 가야만 해! Ich muss mal auf Toilette gehen!
3. 유감스럽지만 취소해야 해. Ich muss leider absagen.
4. 내가 한 말을 정정해야 해. Ich muss mich korrigieren.
5. 난 그것에 적응해야 해. Ich muss mich daran gewöhnen.

반복 훈련용 172.mp3

MUSTER 172

| 넌 ~해야 해. | **Du musst ⋯ + inf.** |

1. 넌 주의해야만 해! Du musst aufpassen.
2. 넌 너 스스로를 (특히 건강을) 지켜야 해. Du musst dich schonen.
3. 넌 서둘러야 해. Du musst dich beeilen.
4. 당신은 5유로를 추가로 지불해야 합니다. Sie müssen die 5 Euro nachzahlen.
5. 넌 그것을 할 필요 없어. Das musst du nicht machen.

반복 훈련용 173.mp3

MUSTER 173

| ~해야만 해. | **Das muss ⋯ + inf.** |

1. 그래야만 해! Das muss sein!
2. 당장 끝내야 해! Das muss sofort aufhören!
3. 그것으로 충분해! Das muss reichen!

4. 그것을 꼭 말해야 했어!   Das musste gesagt werden!

5. 축하해야 해!   Das muss gefeiert werden!

난 ~해야 해.   **Ich soll ··· + inf.**

1. 난 내일까지 그것을 끝내야 해.   Ich soll das bis morgen erledigen.

2. 난 아무에게도 말하지 말아야 해.   Ich soll es keinem weitersagen.

3. 난 그것을 하지 말아야 해.   Ich soll das nicht tun.

4. 난 너에게 그녀의 안부를 전해야 해.   Ich soll dich von ihr grüßen.

5. 난 첫발을 내딛어야 해.   Ich soll den ersten Schritt machen.

MUSTER 175   반복 훈련용 175.mp3

내가 ~할까?   **Soll ich ··· + inf?**

1. 방을 예약할까?   Soll ich das Zimmer buchen?

2. (차로) 데려다줄까? / 픽업해줄까?   Soll ich dich hinbringen / abholen?

3. 어떤 것을 가져갈까?   Soll ich etwas mitbringen?

4. 내가 널 기다릴까?   Soll ich auf dich warten?

5. 내가 그걸 신경 써야 해?   Soll ich mich darum kümmern?

MUSTER 176   반복 훈련용 176.mp3

네가 ~하길 바라.   **Du soll(te)st ··· + inf.**

1. 실수를 해선 안 돼.   Du sollst keine Fehler machen.

2. 부끄러운 줄 알아.   Du solltest dich schämen.

3. 물은 정수하는 것이 좋아.   Du solltest das Wasser aufbereiten.

4. 오늘 강의는 주의를 더 기울이는 게 좋을 거야.   Du solltest heute in der Vorlesung besser aufpassen.

5. 정치에 더 관심 갖는 게 좋을 거야.   Du solltest dich mehr mit Politik beschäftigen.

그것은 ~일 거야. **Das sollte ⋯ + inf.**

1. 그것은 일어나지 않을 거야. Das sollte nicht passieren.
2. 그것은 꼭 맞을 거야. Das sollte passen.
3. 그것은 가능할 거야. Das sollte möglich sein.
4. 그것이 (제대로) 작동될 거야. Das sollte (eigentlich) klappen.
5. 그것은 문제가 아닐 거야. Das sollte kein Problem sein.

EINHEIT ⑲ lassen 하게 하다

~하게 해. **Lass ⋯ + inf.**

1. 그것을 나오게 해! Lass es raus!
2. 날 내버려둬! Lass mich in Ruhe!
3. 고개를 떨구지 마! Lass den Kopf nicht hängen!
4. 보여줘 / 말해봐(듣게 해줘)! Lass mal sehen / hören!
5. 그것에서 손 떼! Lass die Finger davon!

~하게 해. **Lass es ⋯ + inf.**

1. 맛있게 먹어. Lass es dir schmecken.
2. 잘되길 바라. Lass es dir gut gehen.
3. 더 나빠지지 않도록 해. Lass es nicht so weit kommen.
4. 그냥 오면 오는 대로 둬. Lass es einfach auf dich zukommen.
5. 놓치지 않도록 해. Lass es dir nicht entgehen.
   (= 그 기회를 놓치지 않도록 해.) = Lass dir die Gelegenheit nicht entgehen.

반복 훈련용 180.mp3

(우리) ~하자! | **Lass(t) uns ··· + inf!**

1. 산행하러 가자! | Lass uns in den Bergen wandern!
2. 커피 마시러 가자! | Lass uns einen Kaffee trinken gehen!
3. 놀자! | Lass uns spielen!
4. 축제를 벌이자! | Lasst uns feiern!
5. 디스코장에 가자! | Lasst uns in die Disco gehen!

EINHEIT ㉑ Was und Wer 무엇, 누구

반복 훈련용 181.mp3

N은 무엇이죠? | **Was ist + N?**

1. (그런데) 그것은 무엇이죠? | Was ist das (denn)?
2. 'Denglisch', 이 이상한 단어는 무엇이죠? | Was ist das denn für ein komisches Wort "Denglisch"?
3. 'enjoy your meal'은 독일어로 뭔가요? | Was ist "enjoy your meal" auf Deutsch?
4. 안에 뭐가 있죠? | Was ist drin?
5. 이 문장에서 무엇이 잘못 되었나요? | Was ist falsch an diesem Satz?

반복 훈련용 182.mp3

너의 N은 뭐야? | **Was ist dein + N?**

1. 네 이름이 뭐야? | Was ist dein Name?
2. 너 핸드폰 번호가 뭐야? | Was ist deine Handynummer?
3. 네 집 주소가 뭐야? | Was ist deine Adresse?
4. 너의 관심사는 뭐야? | Was sind deine interessen?
5. 너의 꿈은 뭐야? | Was ist dein Traum?

MUSTER 183

어떤 ~ ? Welcher / Was für ein ~ ?

1. 오늘 무슨 요일이야?   Welcher Tag ist heute?

2. 넌 어떤 취미를 갖고 있니?   Welche Hobbys hast du?

3. 어떤 전공이 나와 맞을까요?   Welches Studium passt zu mir?

4. 넌 어떤 모델을 추천하니?   Was für Modelle empfiehlst du?

5. 독일어를 배우는 것에 어떤 장점들이 있을까?   Was für Vorteile gibt es, Deutsch zu lernen?

MUSTER 184

무슨 일이야? Was ~?

1. 뭐라고?   Was?

2. (네게) 무슨 일이야?   Was ist los (mit dir)?

3. 무슨 일이 일어났어?   Was ist geschehen?

4. 무슨 일이야?   Was gibt es?

5. 무엇에 관한 거야?   Worum geht es?

MUSTER 185

D1와 D2의 차이가 뭔가요? Was ist der Unterschied zwischen D1 und D2?

1. 대학과 종합대학의 차이가 뭔가요?   Was ist der Unterschied zwischen Hochschule und Universität?

2. 공보험(법적 보험)과 사보험의 차이가 뭔가요?   Was ist der Unterschied zwischen einer gesetzlichen und einer privaten Krankenversicherung?

3. 반카드 25와 반카드 50의 차이가 뭔가요?   Was ist der Unterschied zwischen Bahncard 25 und Bahncard 50?

4. 알디 쥐트와 알디 노르트의 차이가 뭔가요?   Was ist der Unterschied zwischen Aldi Süd und Aldi Nord?

5. 차가운 집세와 따뜻한 집세의 차이가 뭐죠?   Was ist der Unterschied zwischen Kaltmiete und Warmmiete?

MUSTER 186

무엇이 ~다운 것이죠?   **Was ist typisch ~?**

1. 무엇이 독일다운 것이죠?   Was ist typisch deutsch?
2. 무엇이 한국다운 것이죠?   Was ist typisch für Korea?
3. 나다운 것이 뭐죠?   Was ist typisch für mich?
4. 무엇이 독일음식다운 것이죠?   Was ist typisch für deutsches Essen?
5. 무엇이 미국다운 것이죠?   Was ist typisch amerikanisch?

MUSTER 187

내가 무엇을 할 수 있을까요?   **Was kann ich ⋯ + inf?**
우리가 무엇을 할 수 있을까요?   **Was können wir ⋯ + inf?**

1. 내가 그것에 찬성하여 / 반대하여 무엇을 할 수 있을까요?   Was kann ich dafür / dagegen tun?
2. 핸드폰을 잃어버리면, 무엇을 할 수 있을까요?   Was kann ich machen, wenn ich mein Handy verloren habe?
3. 나는 가족에게 무엇을 선물할 수 있을까요?   Was kann ich meiner Familie schenken?
4. 나는 무엇에 대해 (연구)발표를 할 수 있을까요?   Worüber (Über was) kann ich ein Referat halten?
5. 오늘 저녁에 우린 무엇을 먹을 수 있을까요?   Was können wir heute Abend essen?

MUSTER 188

~이면 무엇을 할 수 있을까요?   **Was kann man ~ machen?**

1. 비가 오면 뭘 할 수 있을까요?   Was kann man machen, wenn es regnet?
2. 돈 없이 뭘 할 수 있을까요?   Was kann man ohne Geld machen?
3. 친구들과 무엇을 할 수 있을까요?   Was kann man mit Freunden machen?
4. 기침감기가 나으려면 뭘 해야 할까요?   Was kann man gegen Husten machen?
5. 휴가 중 그곳에서 뭘 할 수 있을까요?   Was kann man dort im Urlaub machen?

MUSTER 189

난 무엇을 해야 하나요?　　　**Was soll / muss ich … + inf?**

1. 난 무엇을 해야 하나요?　　　Was soll ich machen?
2. 무엇을 주의해야 하나요?　　　Auf was (Worauf) soll ich achten?
3. 그것을 위해 무엇을 해야 하나요?　　　Was muss ich dafür tun?
4. 그것을 위해 뭘 가져와야 하나요?　　　Was muss ich dafür mitbringen?
5. 무엇을 준비해야 하나요?　　　Worauf muss ich mich vorbereiten?

MUSTER 190

난 ~해야 할까요?　　　**의문사 + soll ich … + inf?**

1. 누구에게 문의해야 하나요?　　　An wen soll ich mich wenden?
2. 누구에게 접수해야 하나요?　　　Bei wem soll ich mich anmelden?
3. 언제 와야 할까요?　　　Wann soll ich kommen?
4. 어떻게 계속 진행해야 할까요?　　　Wie soll ich weiter vorgehen?
5. 어디로 가야 할까요?　　　Wohin soll ich gehen ?

MUSTER 191

넌 무엇을 좋아하니 / 하길 원하니 /　　　**Was magst / möchtest /**
하고자 하니?　　　**willst du … + inf?**

1. 무엇을 더 좋아하니?　　　Was magst du lieber?
2. 넌 독일에서 무엇을 경험하길 원하니?　　　Was möchtest du in Deutschland erleben?
3. 공부를 끝낸 다음 뭘 하길 원하니?　　　Was möchtest du machen, nachdem du dein Studium abgeschlossen hast?
4. 넌 무엇이 되려고 하니?　　　Was willst du werden?
5. 내게 원하는 것이 뭐야?　　　Was willst du von mir?

MUSTER 192

넌 무엇을 ~하니?　　　**Was ~ du?**

1. 너 그런데 여기서 뭐하니?　　　Was machst du denn hier?

2. 무엇을 공부하니?   Was studierst du?

3. 너 그런데 무엇을 찾고 있니?   Was suchst du denn?

4. 그림에서 뭐가 보이니?   Was siehst du auf dem Bild?

5. 무엇을 듣니?   Was hörst du?

MUSTER 193
반복 훈련용 193.mp3

넌 무엇을 ~했니?   **Was hast du ··· + p. p.?**

1. 지금 뭐라고 했어?   Was hast du gerade gesagt?

2. 오늘 뭐 했니?   Was hast du heute gemacht?

3. 마지막에 뭐 먹었어?   Was hast du zuletzt gegessen?

4. 여기서 뭘 잃어버렸니?   Was hast du hier verloren?

5. 무엇을 이해하지 못했니?   Was hast du nicht verstanden?

MUSTER 194
반복 훈련용 194.mp3

넌 무엇을 가지고 있니?   **Was hast du ~?**

1. 뭘 가지고 있니?   Was hast du da?

2. 주말에 무슨 계획 있니?   Was hast du am Wochenende vor?

3. 무엇을 입고 있니?   Was hast du an?

4. 무엇을 원하니(소원)?   Was hast du auf dem Herz?

5. 오늘 넌 뭘 해야 하니?   Was hast du heute zu tun?

MUSTER 195
반복 훈련용 195.mp3

N은 뭐라고 불려?   **Wie heißt + N?**
N은 무엇을 의미해?   **Was bedeutet + N?**

1. 이 축약형은 무엇을 의미해?   Was heißt die Abkürzung?

2. 네 이름은 뭐야?   Wie heißt.du?

3. 네 이름은 무슨 뜻이니?   Was bedeutet dein Name?

4. 그것은 무슨 의미야?   Was bedeutet das?

5. '바보'가 무슨 뜻이니?　　　　Was bedeutet Babo?

　　　　반복 훈련용 196.mp3

~는 얼마야?　　　　Was / Wie viel kostet ~?

1. 이거 얼마야?　　　　Was kostet das?

2. 이 핸드폰 얼마야?　　　　Was kostet das Handy?

3. 독일에서 집은 얼마 정도해?　　　　Wie viel kostet eine Wohnung in Deutschland?

4. 독일에서 자동차는 얼마나 비싸?　　　　Wie teuer ist ein Auto in Deutschland?

5. 학비는 얼마나 비싸?　　　　Wie hoch sind die Studiengebühren?

　　　　반복 훈련용 197.mp3

~엔 뭐가 낫는 데 도움이 되죠?　　　　Was hilft gegen ~?

1. 감기와 열 나는 덴 뭐가 도움이 되죠?　　　　Was hilft gegen Erkältung und Fieber?

2. 알레르기엔 뭐가 도움이 되죠?　　　　Was hilft gegen Allergie?

3. 복통엔 뭐가 낫는 데 도움이 되죠?　　　　Was hilft gegen Bauchschmerzen?

4. 여드름엔 뭐가 좋죠?　　　　Was hilft gegen Pickel?

5. 설사엔 뭐가 도움이 되죠?　　　　Was hilft gegen Durchfall?

　　　　반복 훈련용 198.mp3

~는 누구죠?　　　　Wer ist ~?

1. 누구니?　　　　Wer bist du?

2. 누구세요?　　　　Wer sind Sie?

3. 거기 누구니?　　　　Wer ist da?

4. 누가 함께 있니?　　　　Wer ist dabei?

5. 누가 안드레아스니?　　　　Wer ist Andreas?

6. 누구 말하는 거니?　　　　Wer ist gemeint?

반복 훈련용 199.mp3

누가 A를 했니?   **Wer hat A + p. p.?**

1. 누가 그것을 했니?   Wer hat es gemacht?
2. 누가 내게 전화했어?   Wer hat mich angerufen?
3. 누가 이겼니?   Wer hat gewonnen?
4. 누가 그것을 제안했니?   Wer hat das vorgeschlagen?
5. 누가 그것을 생각했겠니?   Wer hätte das gedacht?

EINHEIT ㉑ Wo, Wann, Warum und Wie
어디, 언제, 왜, 어떻게

반복 훈련용 200.mp3

N은 어디에 있어 / 놓여 있어 / 살아?   **Wo ist / liegt / wohnt N?**

1. 너 도대체 어디 있니?   Wo bist du eigentlich?
2. 근처에 약국이 어디에 있니?   Wo ist eine Apotheke in der Nähe?
3. 주차금지 구역이 어디야?   Wo ist das Parken verboten?
4. 그럼 그것은 정확히 어디에 놓여 있어?   Wo liegt denn das genau?
5. 넌 어디 살아?   Wo wohnst du?

반복 훈련용 201.mp3

나는 어디서 ~할 수 있죠?   **Wo kann ich ⋯ + inf ?**

1. 어디서 장판을 살 수 있죠?   Wo kann ich Laminat kaufen?
2. 어디서 기차표를 싸게 살 수 있죠?   Wo kann ich ein Zugticket günstig kaufen?
3. 어디서 널 만날 수 있니?   Wo kann ich dich treffen?
4. 어디서 지폐를 동전으로 바꿀 수 있죠?   Wo kann ich Geldscheine in Münzen wechseln?
5. 어디서 자녀수당을 신청할 수 있죠?   Wo kann ich Kindergeld beantragen?

MUSTER 202

N은 어디로 / 어디로부터 … ?   Wohin / Woher … N?

1. 어디 가니?   Wohin gehst du?
2. 이 기차는 어디로 가죠?   Wohin fährt der Zug?
3. 너희는 어디로 여행 가?   Wohin werdet ihr reisen?
4. 어디서 왔니?   Woher kommst du?
5. 그 모든 것을 어디서 알았니?   Woher weißt du das alles?

MUSTER 203

N은 언제 ~하죠?   Wann ~ N?

1. 버스는 언제 도착하나요?   Wann kommt der Bus an?
2. 수업은 언제 시작하나요?   Wann fängt der Unterricht an?
3. 언제부터 언제까지 부활절 방학 /   Von wann bis wann sind Osterferien /
   성탄절 방학인가요?   Weihnachtsferien?
4. 언제까지 핸드폰 계약해지를 알려야 Bis wann muss ich den Handyvertrag
   하나요?   kündigen?
5. 언제부터 여기에 살았어?   Seit wann wohnst du hier?

MUSTER 204

N은 왜 ~하죠?   Warum ~ N?

1. 당신은 왜 우리 회사에 지원하셨나요? Warum bewerben Sie sich bei uns?
2. 넌 왜 독일어를 공부하니?   Warum lernst du Deutsch?
3. 바나나는 왜 구부러져 있을까?   Warum ist die Banane krumm?
4. 넌 왜 그것에 대해 일찍 말하지   Warum hast du nicht schon früher was davon
   않았어?   gesagt?
5. 넌 내게 왜 그랬니?   Warum hast du mir das angetan?

MUSTER 205

N은 어때?   Wie ist N?

1. 오늘 날씨 어때?   Wie ist das Wetter heute?

2. 그의 성격은 어때?   Wie ist sein Charakter?

3. 그곳 음식은 어때?   Wie ist das Essen dort?

4. 그게 어떻게 이해가 돼?   Wie ist das zu verstehen?

5. 프랑스는 어때?   Wie ist Frankreich so?

MUSTER 206

N은 어떻게 ~하니?   Wie ~ N?

1. 어떻게 지내? (어때?)   Wie geht es dir?

2. 데이트는 어땠어?   Wie ist es dir bei dem Date ergangen?

3. 세미나 리포트는 어떻게 진행되고 있어?   Wie läuft es mit der Seminararbeit?

4. 건강은 어때?   Wie steht es um deine Gesundheit?

5. 오늘 느낌이 어때?   Wie fühlst du dich heute?

MUSTER 207
반복 훈련용 207.mp3

넌 어떻게 ~하니?   Was / Wie ~ du?

1. 어떻게 생각하니?   Was denkst du?

2. 어떻게 생각하니?   Was sagst du dazu?

3. 무슨 의미야?   Was meinst du?

4. 넌 그것을 어떻게 생각하니?   Wie findest du das?

5. 어떻게 그렇게 생각하니?   Wie kommst du darauf?

MUSTER 208
반복 훈련용 208.mp3

어떻게 나는 ~할 수 있죠?   Wie kann ich ··· + inf?

1. 제가 어떻게 당신을 도울 수 있죠?   Wie kann ich Ihnen helfen?

2. 어떻게 독일어 실력을 향상시킬 수 있을까요?   Wie kann ich mein Deutsch verbessern?

3. 어떻게 차감을 막을 수 있을까요?   Wie kann ich die Abbuchung sperren lassen?

4. 어떻게 데이트하도록 그녀를 설득할 수 있을까요?   Wie kann ich sie zu einem Date überreden?

5. 어떻게 데이트를 취소할 수 있을까요?   Wie kann ich ein Date absagen?

MUSTER 209

반복 훈련용 209.mp3

얼마나 ~해?　　　　Wie + adj … ?

1. 몇 시인가요?
Wie spät isl es?
= Wie viel Uhr ist es?

2. 이 집은 얼마나 큰가요?
Wie groß ist die Wohnung?

3. 중앙역은 여기서 얼마나 먼가요?
Wie weit ist der Hauptbahnhof von hier entfernt?

4. 몇 살이야?
Wie alt bist du?

5. 당신의 공부는 얼마나 더 남았나요?
Wie lange dauert Ihr Studium noch?

EINHEIT ㉒ 가정문과 접속법

MUSTER 210

반복 훈련용 210.mp3

만약 네가 …한다면, ~할 거야.　　Wenn du …, (dann) ~.

1. 만약 관심이 있으면, 알려줘!
Wenn du Interesse hast, (dann) melde dich!

2. 만약 네가 가면, 나도 따라갈 거야.
Wenn du gehst, (dann) gehe ich mit.

3. 만약 네가 옳다면, 난 침묵할 거야.
Wenn du recht hast, (dann) will ich schweigen.

4. 만약 네가 스스로 확신한다면, 한번 시도해봐!
Wenn du selbst überzeugt bist, (dann) probiere es einfach mal!

5. 만약 질문이 있다면, 다시 와!
Wenn du noch Fragen hast, (dann) komm wieder!

MUSTER 211

반복 훈련용 211.mp3

내가 ~라면 좋을 텐데!　　Wäre ich doch ~ !

1. 내가 십 년만 젊었어도!
Wäre ich doch zehn Jahre jünger!

68

2. 내가 부자라면!　Wäre ich doch **nur reich!**

3. 내가 집에 머문다면 (좋을 텐데)!　Wäre ich doch **nur zuhause geblieben!**

4. 남자로 태어났더라면!　Wäre ich doch **nur als Junge auf die Welt gekommen!**

5. 내가 일찍 일어났더라면 (좋았을 텐데)!　Wäre ich doch **früher aufgestanden!**

반복 훈련용 212.mp3

| 만약 내가 너라면, 난 ~할 텐데. | **Wäre ich du, würde ich ··· + inf.** |

1. 내가 너라면, 난 찬성할 텐데.　Wäre ich du, würde ich **dafür sein.**

2. 내가 너라면, 난 시도해볼 거야.　Wäre ich du, würde ich **es versuchen.**

3. 내가 너라면, 난 완수할 텐데.　Wäre ich du, würde ich **mich durchsetzen.**

4. 내가 너라면, 난 그 약속을 취소할 텐데.　Wäre ich du, würde ich **den Termin absagen.**

5. 내가 너라면, 난 매우 실망했을 거야.　Wäre ich du, wäre ich **sehr enttäuscht.**

반복 훈련용 213.mp3

| 내가 만약 ~했었더라면. | **Hätte ich ~ + p. p..** |

1. 내가 알았더라면!　Hätte ich **das gewusst!**

2. 내가 오늘 너를 기다렸다면, ···.　Hätte ich **heute auf dich gewartet, ···.**

3. 내게 더 많은 시간이 있었다면, ···.　Hätte ich **mehr Zeit gehabt, ···.**

4. 내가 너를 믿었더라면, ···.　Hätte ich **mich auf dich verlassen, ···.**

5. 내가 단지 클릭하지 않았더라면!　Hätte ich **das bloß nicht geklickt!**

반복 훈련용 214.mp3

| D는 어때? | **Wie wäre es mit + D?** |

1. 월요일은 어때요?　Wie wäre es mit **Montag?**

2. 스파게티는 어때요?　Wie wäre es mit **Spagetti?**

3. 오늘 저녁밥 먹으러 가는 건 어때요?　Wie wäre es mit **heute Abend essen gehen?**

4. 우리 영화 한 편 보는 것은 어때요?　Wie wäre es, **wenn wir einen Film anschauen?**

5. 인터넷이 없으면 어떨까?   Wie wäre es ohne Internet?

MUSTER 215   반복 훈련용 215.mp3

만약 ~라면 좋을 텐데.   Es wäre schön, wenn ~.

1. 그렇게 되면 좋을 텐데.   Es wäre schön.
                                   = Schön wär's.

2. 네가 오면 좋을 텐데.   Es wäre schön, wenn du kommen würdest.

3. 네가 지금 여기에 있다면 좋을 텐데.   Es wäre schön, wenn du jetzt hier wärst.

4. 만약 그것이 이루어지면 좋을 텐데.   Es wäre schön, wenn es klappen würde.

5. 너를 다시 볼 수 있다면 좋을 텐데.   Es wäre schön, dich wieder zu sehen.

EINHEIT ㉓ 접속사

MUSTER 216   반복 훈련용 216.mp3

…이 아니고 ~이다   nicht …, sondern ~.

1. 나말고 너!   Nicht ich, sondern du!

2. 양보단 질!   Nicht vieles, sondern gutes!

3. 그건 너 때문이 아니라 나 때문이야.   Es liegt nicht an dir, sondern an mir.

4. 돈이 아니라 원칙에 관한 거야.   Es geht nicht um Geld, sondern um das Prinzip.

5. 네가 누군지가 아니라 어떤 사람이 되고자 하는가가 중요해.   Es kommt nicht darauf an, wer du bist, sondern wer du sein willst.

MUSTER 217   반복 훈련용 217.mp3

…뿐만 아니라 ~이다.   nicht nur …, sondern auch ~.

1. 말하는 것뿐만 아니라, 행동하는 것.   Nicht nur reden, sondern auch handeln.

2. 취하는 것뿐만 아니라, 주는 것.   Nicht nur nehmen, sondern auch geben.

3. 커피는 날 깨어 있게 해줄 뿐만 아니라, 똑똑하게 해줘.   Kaffee macht mich nicht nur wach, sondern auch schlau.

4. 모든 위기는 위험뿐만 아니라 기회도 지니고 있어.

Jede Krise hat nicht nur ihre Gefahren, sondern auch ihre Möglichkeiten.

5. 그는 자신의 행동에 대해서 책임질 뿐만 아니라 그가 하지 않은 것에 대해서도 책임져.

Er ist nicht nur verantwortlich für das, was er tut, sondern auch für das, was er nicht tut.

MUSTER 218

반복 훈련용 218.mp3

···도 아니고 ~도 아니다.　　weder ···, noch ~.

1. 나도 너도 아냐.

Weder ich, noch du.

2. 생선도 고기도 아냐.

Weder Fisch, noch Fleisch.

3. 그리 쉽지도, 그리 어렵지도 않아.

Weder zu leicht, noch zu schwer.

4. 어제도 오늘도 아니고, 오히려 영원한 오늘!

Weder gestern, noch morgen, sondern ewig heute!

5. 그것도 다른 것도 옳지 않아.

Weder das eine, noch das andere ist richtig.

MUSTER 219

반복 훈련용 219.mp3

반은 ~고, 반은 ···야.　　teils ~, teils ···.

1. 그럭저럭.

Teils, teils.

2. 반은 좋고, 반은 나빠.

Teils gut, teils schlecht.

3. 반은 행복하고, 반은 불편해.

Teils glücklich, teils unangenehm.

4. 반은 맑았고, 반은 흐렸어.

Teils heiter, teils wolkig.

5. 반은 더 많았고, 반은 더 적었어.

Teils mehr, teils weniger.

MUSTER 220

반복 훈련용 220.mp3

왜냐하면 ~.　　weil ~.

1. 왜냐하면 네가 거기 있기 때문에.

Weil du da bist.

2. 왜냐하면 나에 관한 것이기 때문에.

Weil es um mich geht.

3. 왜냐하면 난 오늘 쉬기 때문에.

Weil ich heute frei habe.

4. 왜냐하면 그것을 할 기분이 아니라서.

Weil ich nicht dazu aufgelegt bin.

5. 왜냐하면 감동받았기 때문에.

Weil ich begeistert bin.

MUSTER 221

~임에도 불구하고 …이다.　　obwohl ~, ….

1. 그녀를 좋아함에도 불구하고, 난 그녀를 떠나야 해.

Obwohl ich sie mag, muss ich sie verlassen.

2. 피곤함에도 불구하고, 잠을 잘 수가 없어.

Obwohl ich müde bin, kann ich nicht schlafen.

3. 부지런히 배웠음에도 불구하고 시험에 합격할 수 없었어.

Obwohl ich fleißig gelernt habe, konnte ich nicht in der Prüfung bestehen.

4. 많이 먹지 않고 운동을 하는데도 불구하고, 살이 쪄.

Obwohl ich nicht viel esse und Sport treibe, nehme ich zu.

5. 그는 오랫동안 여기에 살았음에도 불구하고, 독일어를 잘 말하지 못해.

Obwohl er lange Zeit hier lebt, kann er nicht gut Deutsch sprechen.

MUSTER 222

내가 ~했을 때　　als ich ~ war / p. p. + habe

1. 내가 한국에 있을 때, ….

Als ich in Korea war, ….

2. 내가 어렸을 때, ….

Als ich jung war, ….

3. 내가 독일어를 배울 때, ….

Als ich Deutsch gelernt habe, ….

4. 내가 처음 독일에 왔을 때, ….

Als ich zum ersten Mal nach Deutschland gekommen bin, ….

5. 내가 보훔에서 살 때, ….

Als ich in Bochum gewohnt habe, ….

MUSTER 223

~ 후에 / 전에　　nachdem / bevor ~

1. 공부를 마친 후에, ….

Nachdem ich mein Studium abgeschlossen habe, ….

2. 네가 간 후에, ….

Nachdem du gegangen bist, ….

3. 그것이 일어난 후에,

Nachdem es passiert ist, ….

4. 내가 죽기 전에, ….

Bevor ich sterbe, ….

5. 네가 후회하기 전에, ….

Bevor du es bereust, ….

MUSTER 224

~하기 위해서　　　damit ~

1. 널 이해하기 위해서.　　Damit ich dich verstehen kann.

2. 그들에게 말하는 걸 잊지 않기 위해서.　Damit ich nicht vergesse, ihnen zu erzählen.

3. 그것을 잃지 않기 위해서.　Damit es nicht verloren geht.

4. 환경을 보호하기 위해서.　Damit die Umwelt geschont wird.

5. 노숙자들이 그것을 모을 수 있도록 하기 위해서.　Damit die Obdachlosen sie sammeln können.

EINHEIT 24 비교급

MUSTER 225

N1과 N2 중에서 뭐가 더 좋아?　　Was ist besser, N1 oder N2?

1. 스파게티랑 마울타쉐 중에 무엇이 더 먹기 좋아?　Was ist besser zu essen, Spagetti oder Maultaschen?

2. 토마스 뮐러랑 메시 중에 누가 더 잘해?　Wer ist besser, Thomas Müller oder Messi?

3. 독일과 한국 중에 어디가 더 살기 좋아?　Wo lebt man besser, in Deutschland oder in Korea?

4. 아침과 저녁 중 언제가 더 조깅하기 좋아?　Wann joggt man besser, morgens oder abends?

5. 왼쪽과 오른쪽 중 어떻게 가는 것이 중앙역으로 가는 데 좋아?　Wie kommt man besser zum Hbf, links oder rechts?

MUSTER 226

···보다 ···가 더 ~하다.　　Es ist 비교급, ··· als ···.

1. 하는 것보단 말하는 것이 더 쉬워.　Es ist leichter, gesagt als getan.

2. 허락을 묻는 것보다 용서를 구하는 편이 더 쉬워.　Es ist leichter, um Verzeihung zu bitten, als um Erlaubnis zu fragen.

3. 생각하는 것보다 느끼는 것이 더 어려워.　Es ist schwieriger, zu fühlen, als zu denken.

4. 아빠가 되는 것보다 아빠로 있는 것이 더 어려워.   Es ist schwieriger, Vater zu sein, als Vater zu werden.

5. 버스를 타는 것보다 걷는 것이 더 좋아.   Es ist schöner, zu Fuß zu gehen, als mit dem Bus zu fahren.

반복 훈련용 227.mp3

MUSTER 227

N1이 N2보다 낫다.   N1 ist besser als N2.

1. 그것이 (다른 어떤 것보다) 더 나아.   Das ist viel besser (als etwas anderes).

2. 그것은 내가 생각한 것보다 더 어려워.   Das ist schwieriger als ich dachte.

3. 그것은 없는 것보다 나아.   Das ist besser als nichts.

4. 사람은 돈보다 중요해.   Der Mensch ist wichtiger als Geld.

5. 늦은 것이 이른 것보다 나아.   Spät ist besser als früh.

반복 훈련용 228.mp3

MUSTER 228

넌 네가 생각하는 것보다 더 ~해.   Du bist 비교급, als du denkst.

1. 넌 네가 생각하는 것보다 더 나아.   Du bist besser, als du denkst.

2. 넌 네가 생각하는 것보다 더 예뻐 (멋져).   Du bist schöner, als du denkst.

3. 넌 네가 생각하는 것보다 더 강해.   Du bist stärker, als du denkst.

4. 넌 네가 생각하는 것보다 더 똑똑해.   Du bist klüger, als du denkst.

5. 넌 네가 생각하는 것보다 나에게 더 소중해.   Du bist wichtiger für mich, als du denkst.

반복 훈련용 229.mp3

MUSTER 229

N은 점점 더 ~해지다.   N wird immer 비교급.

1. 난 점점 더 뚱뚱해져.   Ich werde immer dicker.

2. 넌 점점 더 예뻐지는구나.   Du wirst immer schöner.

3. 그는 점점 더 공격적으로 변해가.   Er wird immer aggressiver.

4. 내 노트북은 점점 더 뜨거워져.   Mein Laptop wird immer heißer.

5. 난 점점 더 독일인과 닮아가고 있어.   Ich werde den Deutschen immer ähnlicher.

MUSTER 230

…하면 할수록 ~해지다.	Je 비교급, desto 비교급.
1. 많으면 많을수록 좋아.	Je mehr, desto besser.
2. 네가 연습을 많이 하면 할수록 더 잘하게 돼.	Je mehr du übst, desto besser bist du.
3. 나이가 들면 들수록 더 겸손해져.	Je älter er ist, desto bescheidener ist er.
4. 오래 자면 잘수록 더 피로해지나요?	Je länger man schläft, desto müder wird man?
5. 그녀를 오래 알면 알수록 더 마음에 들어.	Je länger ich sie kenne, desto besser gefällt sie mir.

EINHEIT ㉕ 명령어

MUSTER 231

~해!	명령형 + mal!
1. 말해봐! 너 울어?	Sag mal! Weinst du?
2. 내 말 들어!	Hör mal auf mich! = Hör zu!
3. 이것 봐!	Guck mal!
4. 잊어버려!	Vergiss es!
5. 주의해!	Pass mal auf! = Achtung!

MUSTER 232

~하지 마!	명령형 + nicht!
1. 고맙다고 말하는 것을 잊지 마!	Vergiss nicht, zu danken!
2. 비웃지 마!	Lach mich nicht aus!
3. 흥분하지 마!	Reg dich nicht auf!
4. 불평하지 마!	Beklage / Beschwere dich nicht!
5. 날 귀찮게 하지 마!	Geh mir nicht auf die Nerven!

반복 훈련용 233.mp3

~하지 마!　　　Kein + 명사!

1.	두려워하지 마!	Keine Angst!
2.	걱정하지 마!	Keine Sorge!
3.	당황하지 마!	Keine Panik!
4.	그것에 대해 말하지 마!	Kein Wort davon!
5.	말대꾸하지 마!	Keine Widerrede!

네이티브가 콕! 찍어준 표현만 모았다!
핵심 문법을 짚어주고 패턴으로 회화를 익혀
초보자도 자신 있게 말한다!

독일인이 밥 먹듯 쓰는 패턴!

독일 네이티브와 함께 실생활에서 자주 쓰는 표현만 골라 233개 패턴으로 정리했습니다.
패턴을 모두 학습하면 독일 현지에서 항상 듣고 말하는 일상 표현을 완벽하게 익힐 수 있
습니다.

생활 회화부터 고급 문장까지 한 권으로 해결한다!

핵심 문법으로 기본기를 확실히 다지고, 쉬운 문장부터 시험에 단골로 나오는 어려운 문
장까지 한 권에 담았습니다. 일상생활, 독일어 시험, 학교 진학이나 취업 등 학습 목적에
따라 단어만 바꾸면 나만의 문장을 만들 수 있습니다.

시간이 없어 복습을 못하는 사람도 문제없다!

학습할 시간이 충분하지 않거나, 바빠서 따로 복습할 수 없는 사람도 언제 어디서나 들고
다니면서 연습할 수 있도록 모든 패턴과 예문을 소책자에 담았습니다. mp3 파일을 듣고
소리 내어 따라 하세요. 네이티브의 발음과 억양이 내 것이 됩니다.